FONGHONG

W e
w e r e
l i a r s

说谎的人

[美] E. 洛克哈特 —— 著
苏心一 —— 译

江苏凤凰文艺出版社
JIANGSU PHOENIX LITERATURE AND ART PUBLISHING, LTD

图书在版编目(CIP)数据

说谎的人 /(美)洛克哈特(Lockhart,E.)著;苏心一译. — 南京:江苏凤凰文艺出版社,2015(2015.7重印)

书名原文:We were liars

ISBN 978-7-5399-8088-1

Ⅰ.①说… Ⅱ.①洛… ②苏… Ⅲ.①长篇小说–美国–现代 Ⅳ.①I712.45

中国版本图书馆CIP数据核字(2015)第012429号

江苏省版权局著作权合同登记:图字10-2014-530号

书　　名	说谎的人
著　　者	[美]E. 洛克哈特
译　　者	苏心一
责任编辑	孙金荣
策划编辑	琅　川
特约编辑	李淑红
版权支持	王秀荣　张晓阳
文字校对	郭慧红
封面设计	吕彦秋
出版发行	凤凰出版传媒股份有限公司
	江苏凤凰文艺出版社
出版社地址	南京市中央路165号,邮编:210009
出版社网址	http://www.jswenyi.com
经　　销	凤凰出版传媒股份有限公司
印　　刷	北京瑞达方舟印务有限公司
开　　本	890毫米×1270毫米　1/32
印　　张	8.5
字　　数	150千字
版　　次	2015年6月第1版　2015年7月第4次印刷
标准书号	ISBN 978-7-5399-8088-1
定　　价	30.00元

(江苏凤凰文艺版图书凡印刷、装订错误可随时向承印厂调换)

献给丹尼尔

辛克莱家家谱

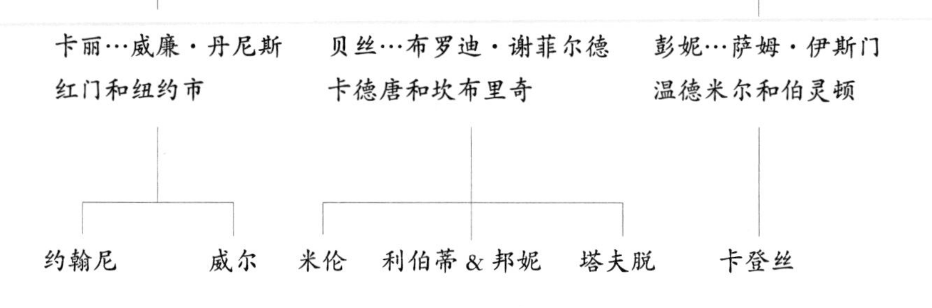
哈里斯·辛克莱 & 蒂珀·塔夫脱
克莱尔蒙特和波士顿
卡丽…威廉·丹尼斯
红门和纽约市
贝丝…布罗迪·谢菲尔德
卡德唐和坎布里奇
彭妮…萨姆·伊斯门
温德米尔和伯灵顿
约翰尼
威尔
米伦
利伯蒂 & 邦妮
塔夫脱
卡登丝

目录
CONTENTS

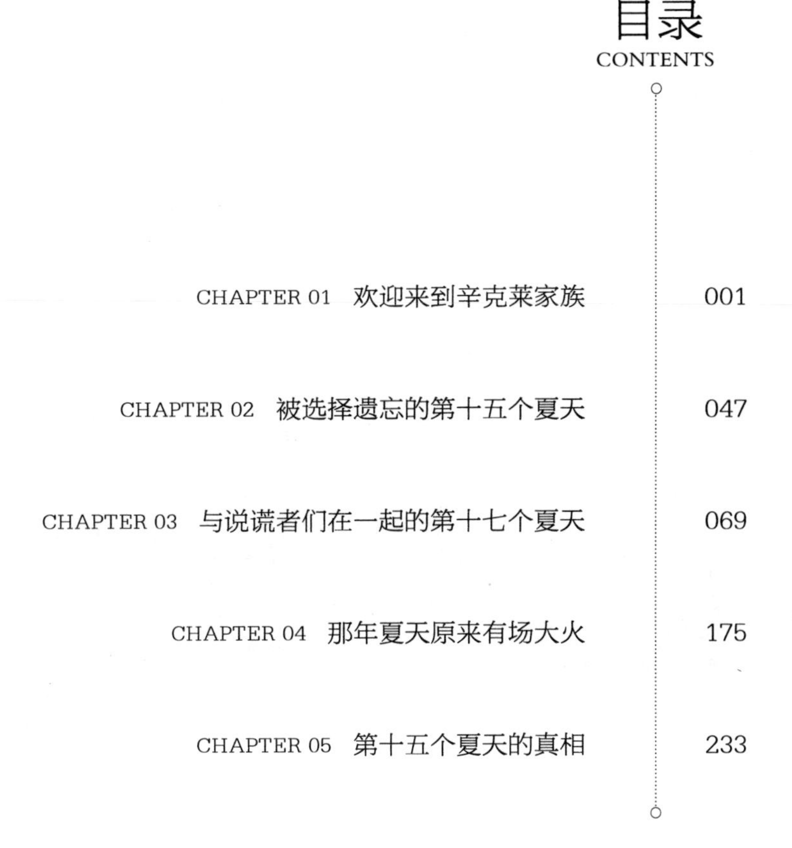

W e

w e r e

l i a r s

〔第一部分〕

CHAPTER 01

欢迎来到辛克莱家族

彭妮、卡丽和贝丝是蒂珀和哈里斯·辛克莱的三个女儿。他们在陡峭的私人小岛——比奇伍德上建了三栋新房，给每一栋都起了名字：给彭妮的温德米尔，给卡丽的红门，以及给贝丝的卡德唐。

我是辛克莱家族最大的外孙女。这座岛、财富和遗产的女继承人。呃，也许。我、约翰尼、米伦和盖特。家人称我们四个为说谎者。

1

欢迎来到美好的辛克莱家族。

没有一个人犯过罪。

没有一个人吸过毒。

没有一个人不成功。

辛克莱家的人高大、强壮、英俊。我们是讲求民主的贵族世家。我们的笑容灿烂、我们的下巴方正，我们的网球发球强劲有力。

离婚撕碎了我们的心不要紧，我们的心仍将努力跳动。信托基金用完了、厨房台面上的信用卡账单逾期未付不要紧。床头桌上有一堆药瓶不要紧。

我们中有人深陷在爱河中不要紧。

深爱意味着必须采取同等程度的极端手段。

我们是美好的辛克莱家族。

没有一个人陷入贫困。

没有一个人做过错事。

至少在这个夏季，我们待在马萨诸塞州海岸附近的一个私人小岛上。

也许这就是你需要了解的一切。

2

我的全名是卡登丝·辛克莱·伊斯门。

我住在弗蒙特州伯灵顿市，与妈妈和三条狗生活在一起。

我快十八岁了。

我有一张使用频繁的借阅卡。

虽然我住在一栋富丽堂皇的房子里，但里面满是昂贵却派不上用场的东西。

过去我满头金发，如今我的头发乌黑。

过去我身体强健，如今我十分虚弱。

过去我模样标致，如今我看上去病恹恹的。

确实，自从那次事故后，我一直饱受偏头痛的困扰。

但我很少受到愚弄。

我喜欢这种相连关系里出现的转折。比如，你看，我受偏头痛的困扰，我的头脑却不会受到愚弄。

我的故事要从那次事故之前说起。

我十五岁的那个夏日，六月，我爸爸跟一个女人私奔了，他爱她甚于爱我们。

爸爸是一个还算成功的军事史教授。那时候我很崇拜他。他经常穿花呢上装，身材瘦削，喜欢喝奶茶。他喜欢玩棋类游戏，但总温厚地让我赢。他喜欢划船，教我划皮艇。他喜欢骑自行车、看书和逛美术馆。

他从来不喜欢狗，但他让我们的金毛猎犬睡在沙发上，并且每天早上带它们走三英里，这表明他多么爱我的母亲。他也从来不喜欢我的外祖父母，但他每个夏天仍然在比奇伍德岛上的温德米尔别墅度过，写有关很久以前发生过的战争的文章，每次进餐都对亲戚们笑脸相待，这表明他多么爱我和妈妈。

那个六月，我十五岁的那年夏天，爸爸说他要离开，两天后就动身。他告诉妈妈他不是辛克莱家的一员,没法继续撑下去。他不能笑，不能说谎，不能成为住在这些漂亮房子里的美好家庭的一部分。

不能。不能。不想。这些事情让他难以忍受，他很痛苦。

他已经雇了搬家货车，也租了房子。爸爸把最后一个箱子放进梅赛德斯汽车（他只给妈妈留了辆萨博轿车）的后座，发动了引擎。

那一刻，仿佛他拔出一把手枪，射中我的胸部。我站在草地上，应声而倒。子弹孔开得很大，我的心脏从胸腔滚了出来，落入花坛。

血从我的伤口有节奏地喷涌而出。

然后从我的眼睛，我的耳朵，我的嘴巴。

它尝起来像盐和失败的味道。不被爱的鲜红耻辱浸湿了我们家门前的草地，路上的砖块，去往门廊的台阶。我的心像一条鳟鱼在芍药花丛中抽搐。

妈妈生气了，她让我控制住自己。

“正常点，现在，”她说，“马上。”

“你是正常的，你做得到。”

“不要惹事，”她告诉我，“吸口气，坐起来。”

我照她说的做了。

我只剩下她。

妈妈和我高高地抬起方正的下巴看着爸爸开车下山，接着，我们进屋，把他给我们的礼物扔进垃圾箱：珠宝、衣服、书籍，任何东西。随后的几天，我们处理掉了我父母一起买的长沙发和扶手椅。扔掉婚礼瓷器、银器和相片。

我们购置了新家具，雇了油漆匠，订购了蒂芙尼银餐具。花了一天时间逛画廊，买回几幅画遮住墙上的空白处。

我们请外祖父的律师保护妈妈的资产安全。

而后，我们收拾包裹去了比奇伍德岛。

3

彭妮、卡丽和贝丝是蒂珀和哈里斯·辛克莱的三个女儿。哈里斯二十一岁从哈佛毕业后，继承了他应得的遗产，后来靠做生意逐步积累财富。至于他做的是什么生意，我从没费心去打听。他继承了房屋和土地，在股市上做出了明智的投资。他娶了蒂珀，让她围着厨房和花园转。他让她戴珍珠项链，坐游艇。她似乎很喜欢。

外祖父唯一的失败便是没有儿子，但无关紧要。辛克莱家的女儿们脸晒得黝黑，极有福气。她们个儿高、快乐、富有，就像童话里的公主，以其开司米开襟毛衣和盛大派对，在波士顿、哈佛校园和马撒葡萄园颇为知名。她们注定成为传奇，为王子、常春藤盟校，象牙雕像和宏伟的房子而生。

外祖父和蒂珀爱这些女孩,他们说不出最爱哪一个。第一是卡丽，再是彭妮，然后是贝丝，接着又是卡丽。有享用大麻哈鱼并聆听竖琴演奏的盛大婚礼,继而是白肤金发的外孙辈和有趣的金色小狗。那时，没人能比蒂珀和哈里斯更为他们的漂亮女儿骄傲。

他们在陡峭的私人小岛上建了三栋新房，给每一栋都起了名字：给彭妮的温德米尔，给卡丽的红门，以及给贝丝的卡德唐。

我是辛克莱家族最大的外孙女。这座岛、财富和遗产的女继承人。

呃，也许。

4

我、约翰尼、米伦和盖特。盖特、米伦、约翰尼和我。

家人称我们四个为说谎者，也许我们配得上这个称谓。我们年纪相仿，生日都在秋天。在岛上的大部分年份，我们都是祸害。

我们八岁那年，盖特开始来比奇伍德。我们称为，第八个夏天。

在那之前，米伦、约翰尼和我不是说谎者，我们只是表亲，约翰尼叫人讨厌，因为他不喜欢和女孩玩。

约翰尼，生机勃勃，精力十足，具有黠智。那时候，他会把我们的芭比娃娃吊起来，用乐高积木做的枪朝我们射击。

米伦，充满好奇，如蜜糖，如细雨。那时候，她常常和塔夫脱及双胞胎待上一下午，在大海滩边嬉水，我在克莱尔蒙特房前门厅的吊床上阅读，在方格纸上画画。

然后盖特过来与我们共度夏天。

卡丽姨妈还怀着约翰尼的弟弟威尔时，她丈夫就离开了。我不知道发生了什么，家里人从不提这件事。到第八个夏天时，威尔已经是个小婴儿了，卡丽已经与埃德在一起了。

埃德是艺术品经销商，他喜爱孩子。卡丽宣布带约翰尼和婴儿，还有他来比奇伍德时，我们对他的了解只有这些。

那个夏天，他们是最后到达的，我们都在码头上等船靠岸。外公举起我，好让我对约翰尼挥手，他身穿橙黄色的救生衣，在船头大叫。

外婆蒂珀站在我们旁边。她收回目光，从口袋里拿出一块白色薄荷糖，剥开包纸，把糖塞进我的嘴里。

她的目光又转回船上时，脸色变了。我眯起眼睛去看她看到的东西。

卡丽抱着威尔走了下来。他穿着婴儿的黄色救生衣，只露出蓬乱浓密的淡淡金发。看见他，人群中就响起一阵欢呼声。那救生衣，我们孩童时期都穿过。那头发。这个我们还不认识的小男孩一看就是辛克莱家的一员，多么奇妙！

约翰尼从船上跳下来，把自己的救生衣扔在码头上。他先跑到米伦身前踢她，然后踢我。踢双胞胎。最后走到外公外婆面前站好。“见到你们真好，外公外婆，我期待度过一个愉快的夏天。”

蒂珀搂住他。“你妈妈教你这么说的，是吗？”

“没错，”约翰尼说，“我应该说，很高兴又见到你们。”

“好孩子。”

“我可以走了吗？”

蒂珀吻了吻他有雀斑的脸。“走吧。”

埃德跟在约翰尼后面，停下来帮雇员从汽船上卸行李。他瘦瘦高高，皮肤很黑：我们后来了解到，他是印度裔。他戴着黑框眼镜，一副利落的城里人的穿着打扮：亚麻套装和条纹衬衫。裤子因为长途旅行而起了褶皱。

外公把我放下来。

外婆蒂珀的嘴抿成一条直线，然后她露齿而笑，继续往前走。

“你肯定是埃德。见到你真让人惊喜！”

他摆了摆手，说：“难道卡丽没告诉你们我们要来吗？”

“她当然说了。”

埃德环顾了一下我们这个白人家庭，转向卡丽，“盖特在哪儿？”

他们喊盖特，他从船里爬出来，低头解开搭扣，脱掉救生衣。

“爸，妈，”卡丽说道，“我们带了埃德的外甥来跟约翰尼玩。这是盖特·帕蒂尔。”

外公伸出手拍了拍盖特的头，“你好，小伙子。”

“你好。”

“他父亲今年刚刚过世，”卡丽解释说，“他和约翰尼是最好的朋友。我们带他出来几个星期，对埃德的姐姐是莫大的帮助。好了，盖特，你可以野炊、游泳，就像我们说过的那样。好吗？”

然而盖特没有答话。他看着我。

他有夸张的鼻子，可爱的嘴巴，深棕色的皮肤，黑色的卷曲头发，浑身散发着能量。盖特看上去蓄势待发，就像在寻找什么东西。他沉思默想，满腔热情，雄心勃勃，像浓咖啡。我可以就这么一直望着他。

我们四目相投。

我转身跑开了。

盖特跟着我。我可以听见身后他踩在贯穿岛屿的木板步道上的脚步声。

我一直跑。他一直追。

约翰尼追逐着盖特。米伦追逐着约翰尼。

大人们在码头上谈个没完，礼貌地围绕着埃德，对着婴儿威尔钟情地低语。那些小家伙们做着小家伙们该做的事情。

我们四个在卡德唐旁边的小海滩上停了下来，这一小片沙地两边有高高的岩石。那时候，没人来这里玩。大海滩上有更柔软的沙子和更少的海草。

米伦脱掉鞋，我们三个也照做了。我们把石头抛进水里。我们存在着。

我在沙滩上写下我们的名字。

卡登丝、米伦、约翰尼和盖特。

盖特、约翰尼、米伦和卡登丝。

我们四个人的故事就从那里开始。

约翰尼请求让盖特待得久一些。

他的愿望得到了满足。

第二年他请求让盖特待上整个夏天。

盖特来了。

约翰尼是第一个外孙。我的外祖父母几乎从不拒绝约翰尼的任何请求。

5

第十四个夏天，盖特和我把汽艇开了出来。那天刚用完早餐，贝丝让米伦和双胞胎、塔夫脱去打网球。约翰尼那年开始跑步，正在环形道上跑圈。盖特在克莱尔蒙特的厨房找到我,问我想不想乘船出海。

“不太想。”我想回到床上看书。

“拜托。”盖特几乎从没说过拜托。

“你自己去取吧。”

“我借不了，”他说，“我觉得那样不合适。”

“你当然能借。”

“除非跟你们中的一人一起。”

他真荒谬。“你想去哪里？”我问道。

“我就想去岛外。有时我忍受不了这里。”

我想不出他忍受不了什么，不过我说好的。我们穿上防风衣和泳衣驾船出海。过了一会儿，盖特关掉引擎。我们坐下来吃开心果，吹海风。阳光照在水面上。

“我们去海里游泳吧。”我说。

盖特跳了下去，我跟随着他，但是这里的水比海滩边的水冷多了，我们不停吸气。太阳藏到了云朵后面。我们惊恐地大笑，喊道入水这个主意再蠢不过。我们在想些什么？海里有鲨鱼，人人都知道。

老天，别谈起鲨鱼。我们彼此推搡，争抢着先一步爬上船后的梯子。

过了一分钟，盖特往后靠，让我先走。“不是因为你是女孩子，而是因为我是好人。”他告诉我。

“谢谢。”我伸出舌头。

“但是万一鲨鱼咬掉了我的腿，你一定要写篇文章告诉别人我有多棒。”

“行！”我说，“盖特威·马修·帕蒂尔成了一顿美餐。”

冷到这个地步，似乎非常有趣。我们没有毛巾，在座位下面找到一条羊毛毯，两人都挤在毯子下面，裸露的肩头彼此相碰。冰冷的脚，一只踩在另一只上面。

“只有这样我们才不会体温过低，”盖特说道，“别以为我觉得你漂亮。”

“我知道你不是那么想的。”

“你把毯子都占了。”

“对不起。”

一阵停顿。

盖特说，“我的确觉得你很漂亮，卡迪。这是我没有料到的。事实上，你什么时候变得这么漂亮？让人迷惑。”

“我跟往常一样。”

“这学年你脱胎换骨了，让我没法专注于自己的游戏。”

“你在玩自己的游戏？”

他严肃地点点头。

“这是我听过最可笑的事了。你的游戏是什么？”

“我的心滴水不进。你难道没有注意到？”

我笑了，说：“没有。”

“见鬼。我还以为这是可能的。”

我们换了话题，谈到下午带小家伙们去埃德加敦看电影，谈到鲨鱼以及它们是否真的吃人，谈到《植物大战僵尸》游戏。

然后我们驾船返回岛上。

不久，盖特开始把他的书借给我，傍晚去小海滩找我。我和金毛猎犬躺在温德米尔的草地上时，他也能找到我。

我们一起在环绕着小岛的小路上散步，盖特在前面，我在后面。我们谈论书籍，胡编着幻想中的世界。有时我们绕着小岛边缘走上好几圈，直到感到饥饿或厌倦。

小路两边开满了深红色的玫瑰，散发出淡淡的芳香。

有一天，我看见盖特躺在克莱尔蒙特的吊床上看书，他看上去像是属于我的，像是我的特别人士。

我悄悄爬进吊床上他的旁边，取出他手中的笔——他看书时总拿着一支笔——在他左手手背写上“盖特”，右手手背写上“卡登丝”。

他把笔拿了回去。在我的左手手背写上“盖特”，右手手背写上“卡登丝”。

我谈论的不是命运。我不相信命运、灵魂伴侣和超自然力量。我只是说我们彼此相知。自始至终。

然而我们才十四岁。我从来没吻过一个男孩，尽管下一学年我会吻上几个，不知怎的，我们并不将之称为爱情。

6

第十五个夏天，我比其他人晚到一星期。爸爸离开了我们，妈妈和我要买东西，找油漆匠等等。

约翰尼和米伦在码头迎接我们，他们的脸颊泛出红晕，满脑子的暑期计划。他们在筹划家庭网球比赛，还记下了冰激凌配方。我们将去航海、去生起篝火。

小家伙们跑来跑去，大喊大叫，一如往常。姨妈们露出冷淡的笑容。到达时的这一阵喧闹过后，大家都去克莱尔蒙特喝鸡尾酒。

我去红门找盖特。红门比克莱尔蒙特小得多，但楼上仍有四间卧室。约翰尼、盖特、威尔和卡丽姨妈就住在这里，还有埃德，不过他并不常在。

我走到厨房门边，透过纱门往里看。盖特没看到我。他站在长台面旁边，身着灰色的旧 T 恤和牛仔裤。他的肩膀比我记忆中的要宽阔。

水槽边的小窗上倒挂着一支干花，他解开缠在上面的缎带。那是一支松散开来的粉红玫瑰，长在比奇伍德环道上的那种。

盖特，我的盖特。他从我们最爱的散步场所为我摘了一支玫瑰。他悬挂起来让它干燥，等我到达岛上时好送给我。

到目前为止，我亲吻了几个无足轻重的男孩。

我失去了我爸爸。

我从一间满是眼泪和谎言的屋子来到岛上，我看见了盖特，我看见了他手上的玫瑰。就在那一瞬间，阳光透过窗户照在他身上，厨房台面上放着苹果，空气中传来海水和木头的气息，我的确称它为爱。

那就是爱，它重重地冲击着我，我不得不靠在仍然隔在我们中间的纱门上，以免摔倒。我想摸他，就像他是小兔子、小猫，或者某种特别而柔软的东西让你的指尖没法离开。宇宙是美好的，因为他在里面。我爱他牛仔裤上的破洞、赤裸双脚上的泥土、胳膊上的疮痂、以及贯穿他一侧眉头的疤痕。盖特，我的盖特。

我站在那里目不转睛地看着他将那支玫瑰装进一个信封。他寻找笔，砰地把一个抽屉打开又合上，后来他在自己的口袋里找到了一支，写了起来。

直到他从厨房的一个抽屉里拉出一整版邮票，我才意识到他在写地址。

盖特把邮票贴在信封上。写上寄信人地址。

那不是给我的。

在他看见我之前，我从门前离开，跑到环道上，独自看着渐渐变黑的天空。

我扯掉一株可悲的花丛上的所有玫瑰，一朵接一朵扔进愤怒的大海。

7

那天晚上约翰尼将这个纽约女友的事情告诉我了。她叫拉克尔。约翰尼还见过她。她跟盖特一样住在纽约，不过她住在市区，就像卡丽和埃德，而盖特和他妈妈住在市郊。约翰尼说拉克尔是一位穿黑衣的现代舞者。

米伦的弟弟塔夫脱告诉我拉克尔给盖特寄来了一包自制布朗尼饼干。利伯蒂和邦妮告诉我盖特手机上有她的照片。

盖特从没提起她，但他没法直视我的目光。

那个晚上，我哭了、咬自己的手指头，喝从克莱尔蒙特食品储藏室偷来的酒。我疯狂地朝天空旋转，向星星发火，把星星从停歇的地方撞走，不断打旋、呕吐。

我把拳头砸进浴室的墙，在冰冷的水里洗刷耻辱和愤怒。然后我在床上发抖，像遭到遗弃的狗一样，浑身从里颤到外。

第二天早上，以及此后的每一天，我举止正常。我高高地抬起方正的下巴。

我们驾船出海、生起篝火。我赢得了网球比赛。

我们做了一大桶冰激凌，躺下来晒太阳。

有天晚上，我们四个在小海滩吃野餐，蒸蛤蜊、土豆和甜玉米。雇员们准备的，我不知道他们的名字。

约翰尼和米伦把食物放进金属烤盘。我们围着篝火吃起来，黄油滴到沙地上。盖特为我们每人做了厚达三层的饼干夹心甜点。我看着火光中他的双手把果汁软糖插到长棍子上。过去那双手上写着我们的名字，如今他写上了他想读的书的名字。

那天晚上，左手上是“存在与”，右手上是“虚无”。

我手上也写着字。我喜欢的一句话。左手上是“活在”，右手上是“当下”。

“想知道我在思考什么吗？”盖特问道。

“想。”我说。

“不想。”约翰尼说。

“我在想我们如何能说你的外祖父拥有这座岛，不是从法律意义上，而是从实际意义上。”

“拜托，不要开始谈论清教徒前辈移民的罪恶。”约翰尼抱怨道。

“不。我是问，我们如何能说土地属于某个人？”盖特对着沙滩、海洋和天空挥手。

米伦耸了耸肩。“人们一向买卖土地。”

“难道我们不能聊聊性或者谋杀吗？”约翰尼问道。

盖特没有理他。“也许土地根本就不该属于人。或者对于人们能拥有的东西应该有所限制。”他倾身向前。“这个冬天我去印度做志愿者时，我们还建造了厕所。因为那里一个村的人都没有厕所。”

“我们都知道你去过印度，”约翰尼说，“你说了四十七遍了。”

我爱盖特这一点：他对这个世界满怀热情、兴味十足，他很难想象别人会对他说的话感到厌烦，即使他们直接告诉他。但同时，他也不想轻易放过我们。他想要我们思考——即使我们并不想思考。

他把一根棍子戳进余烬里。“我是说我们应该谈谈这个话题。并非所有人拥有私人岛屿。有些人在岛上工作。有些人在工厂工作。有些人没有工作。有些人没有食物。”

“别说了，现在。”米伦说道。

“别说了，永远。”约翰尼说道。

“在比奇伍德岛上，我们歪曲了人性。”盖特说，“我认为你们没有看到这一点。”

“闭嘴，”我说，“如果你闭嘴，我就给你更多巧克力。”

盖特的确住口了，但他的表情扭曲。他猛然站起身来，从沙滩上捡起一块石头，用全力扔了出去。他脱掉运动衫，甩掉鞋，穿着牛仔裤走进了海里。

愤愤不平。

我注视着月光下他肩部的肌肉，他扑通一声跳进水里时，水花四溅。他潜入水中，我想：如果我现在不跟随他，那个拉克尔就得到他了。如果我现在不跟随他，他会离开。离开说谎者们，离开这座岛，离开我们家，离开我。

我脱掉毛衣，身着裙子跟随盖特跳入海里。我哗啦啦落入水中，游到他仰泳的地方。他的湿发在脸上散开，贯穿一条眉头上的那道伤痕显露了出来。

我去够他的手臂。“盖特。”

他吓了一跳，在齐腰高的海里站了起来。

“对不起。”我低声说。

“我从没叫你闭嘴，卡迪，”他说，“我从没对你说那种话。”

“我知道。”

他沉默了。

“请别不说话。”我说。

他打量了下我穿着湿裙子的身体，“我说得太多了，”他说，“我把一切政治化。”

“我喜欢你说话。”我说，这是真的，每当我停下来倾听时，确实喜欢。

“问题在于一切让我……”他停顿了一下，“这个世界上的一切都非常糟糕，就是这样。”

“是啊。”

“也许我应该，”——盖特握住我的手，翻转过来看手背上写的字——“我应该活在当下，不要总是焦躁不安。”

他的湿手握着我的手。

我直打哆嗦。他的手臂赤裸潮湿。我们过去常常手拉手，但这个夏天他都没有碰过我。

“你用自己的方式看待这个世界是件好事。”我告诉他。

盖特松开我的手，往后仰入水中，“约翰尼想要我闭嘴，我让你和米伦感到厌烦。”

我看着他的侧影，他不只是盖特。他沉思默想，满腔热情，雄心勃勃，像浓咖啡。全都在那里，在他棕色的眼睑、光滑的皮肤、噘起的下嘴唇里。里面有聚集的能量。

“我告诉你一个秘密。”我轻声说。

“什么？”

我再次伸手触碰他的胳膊。他没有把手伸出来。“说‘闭嘴’时，盖特，我们根本不是那个意思。”

“不是？”

“我们的意思是，我们爱你。你提醒我们是自私自利的混蛋。你不是我们中的一员。”

他垂下眼睛，嘴角漾出笑容。“这是你的意思吗，卡迪？”

“没错。”我告诉他，让自己的手指在他漂浮着的张开的手臂上滑动。

“真不敢相信，你们在水里！”约翰尼站在没膝的水里，牛仔裤卷了起来。“冷极了。我的脚趾冻坏了。”

“进来后很舒适。”盖特回喊道。

“当真？”

“别那么懦弱！”盖特喊道，“阳刚点，到水里来。”

约翰尼笑了，冲入水中。米伦紧随其后。

这实在是——太爽了。

夜晚就要来临。海洋在哼唱。海鸥在鸣叫。

8

那天晚上，我难以入眠。

午夜过后，他叫我的名字。

我望向窗外，盖特仰面躺在通往温德米尔的木板步道上。金毛猎犬们躺在他身边，五只都在：波什、格伦德尔、波皮、菲利普王子和法蒂玛。它们轻轻地摇晃着尾巴。

月光照在狗身上，发出淡淡的蓝光。

“下来。”他喊道。

我照做了。

妈妈房间的灯熄了。岛上的其他地方一片黑暗。此刻除了狗以外，只有他和我。

“往旁边挪一点。”我告诉他。走道并不宽。我在他旁边躺下来后，我们的手臂相碰，我的胳膊赤裸，他的胳膊裹在橄榄绿的猎装里。

我们仰望夜空。繁星点点，就像一场庆典、在人类上床睡觉后银河系举办的非法盛大宴会。还好盖特没有试图表现得对星座很在行，或者说些有关对着星星许愿之类的蠢话。但我也搞不清他为什么沉默不语。

“我能握住你的手吗？”他问道。

我把手放进他的手中。

“宇宙此时看上去实在浩瀚，”他说，“我需要握住点东西。”

“我在这里。”

他的拇指摩擦着我的掌心。我所有的神经集中到那里，不错过他的皮肤在我身上的每一丝触动。“我不敢肯定我是个好人。”过了一会儿他说。

“我也不确定。”我说，“我只是率性而为。”

“嗯，”盖特沉默了片刻，“你相信上帝吗？”

“半信半疑。”我努力认真地思考这个问题。我知道盖特不会勉强接受一个轻率的回答。“情况不妙时，我会祈祷或想象有人照管我，倾听我。譬如我爸爸离开的头几天，我想到上帝，想要寻求保护。然而其他时候，我过一天算一天，跟宗教没有一点儿关系。”

“我不再相信，”盖特说，“印度之行、贫穷。我没法想象上帝会让那样的事情发生。后来我回到家，在纽约大街上也注意到了这种现象。在世界上最富有的一个国家，人们生病、忍饥挨饿。我只是——我觉得没人在照管这些人，这也意味着没人在照管我。”

“那并不表示你是坏人。”

“我母亲信上帝。她在佛教环境中长大，现在却去基督教教堂。她对我不太满意。”盖特几乎从没谈起过他母亲。

“你不能因为她让你信上帝，你就信。”我说。

“不。问题在于：如果我不相信任何人，如何成为一个好人？”

我们凝视天空。那几只狗经由狗门进入温德米尔。

“你发冷，”盖特说，“穿上我的夹克衫吧。”

我不冷，但我坐了起来。他也坐了起来。他解开橄榄色猎装的纽扣，脱下猎装递给我。

衣服带着他的体温。肩部太宽。他的胳膊现在裸露。

穿着他的猎装，我想吻他，可我没有。

也许他爱拉克尔。他手机里的那些照片。信封里的那支干玫瑰。

9

第二天早上吃早饭时，妈妈让我去温德米尔的阁楼翻翻爸爸的东西，拿走我想要的。剩下的她会丢掉。

温德米尔有三角墙和尖角。五间卧室中的两间有倾斜的屋顶，这是岛上唯一一栋拥有完整阁楼的房子。配备大走廊和现代化的厨房，厨房更新了大理石工作台面，看上去有点格格不入。所有的房间通风，到处是狗。

盖特和我带着几瓶冰茶爬上阁楼，在地板上坐了下来。房间里弥漫着木头的气味。一束光从窗口直射进来。

我们以前来过阁楼。

我们以前从没来过阁楼。

那些书是爸爸假期读的。全是体育回忆录、轻松的推理小说、我从没听说过的老人们讲述的摇滚歌星的故事。盖特并没有看。他按照颜色给书分类。红色的一堆、蓝色的一堆、棕色的一堆、白色的一堆、黄色的一堆。

“没有你想读的？”我问道。

“也许。”

“《一垒和之外》(*First Base and Way Beyond*) 怎么样？”

盖特笑了，摇摇头，把蓝色那堆扶正。

“《借助坏我摇滚》(*Rock On with My Bad Self*)?《舞池的英雄》(*Hero of the Dance Floor*)?”

他又笑了，接着严肃地说：“卡登丝？”

“怎么了？”

“闭嘴。”

我盯着他看了好久。我熟悉他脸部的每一条曲线，但我从没见过这样的他。

盖特在笑，满面春光、局促不安。他跪下来，意外地踢翻颜色鲜艳的书堆。他伸出手抚摸我的头发。“我爱你，卡迪。我是说真的。”

我向前倾身亲吻他。

他摸了摸我的脸，手移动到我的脖颈，沿着锁骨往下。从阁楼窗户射进来的光照在我们身上。我们的亲吻紧张又柔和、迟疑不决又势必发生、令人害怕又完全恰当。

我感觉爱从我涌向盖特，从盖特涌向我。

我们温暖又战栗、年轻又苍老、生气勃勃。

我在想，这是真的。我们彼此相爱。

我们彼此相爱。

10

外祖父突然走了进来。盖特一跃而起，窘迫地踩在按颜色分类的书上，那些书在地板上散落开来。

“我打搅到你们了。”外祖父说。

“没有，先生。”

“不，我肯定打搅了。”

“抱歉灰尘很多。”我笨拙地说道。

“彭妮认为这里或许有我想读的书。”外祖父将一把旧藤椅拉到房间中央，坐了下来，头埋进书本里。

盖特仍然站着。他不得不低下头以免碰到阁楼倾斜的屋顶。

“当心点儿，年轻人。”外祖父突然严厉地说道。

“什么？”

“你的头。你会受到伤害。”

“您说得对，”盖特说，“您说得对，我会受到伤害。”

“那么当心点儿。”外祖父重复道。

盖特二话不说，转身下楼了。

外祖父和我静静地坐了一会儿。

“他喜欢阅读，”最后我说道，“我想他也许需要爸爸的书。”

“你是我心爱的宝贝，卡迪，”外祖父说着，拍了拍我的肩，“我第一个外孙女。”

“我也爱您，外公。”

“记得我是怎么带你去看棒球比赛的吗？你四岁的时候。”

“当然。”

“你从来不吃焦糖爆米花。”外祖父说。

“我知道。您买了两盒。”

“我不得不把你放在我的大腿上，那样你才看得见。你记得吗，卡迪？”

我记得。

“告诉我。”

我知道外祖父想要什么样的答案。他常常提出这样的请求。他喜欢复述辛克莱家族历史上的关键时刻，详述它们的重要性。他总是问某件事情对你的意义，你需要详细回答。种种印象。也许汲取的教训。

通常，我喜欢讲述这些故事，也喜欢听别人讲述这些故事。传奇的辛克莱家族、我们做过的趣事、我们的家族多么美好。然而那天，我没有心情。

“那是你看的第一场棒球比赛，”外祖父提醒道，“后来我给你买了个红色的塑料球棒。你在波士顿家门口的草地上练习挥棒。”

外祖父知道他打断了什么吗？如果他真的知道，他在意吗？

我什么时候能再见到盖特？

他会跟拉克尔分手吗？

我们之间会发生什么？

“你想在家里做焦糖爆米花，”外祖父继续说道，虽然他清楚我知道这个故事，“彭妮帮你做，可是没有红色或白色的盒子来装爆米花时，你哭了。你记得吗？”

“是的，外祖父，”我说，让步了，“那天您又回到棒球场，买了两盒焦糖爆米花。您在开车回家的路上吃完,就为了可以把盒子给我。我记得。”

他满意地站起身来，我们一起离开了阁楼。下楼时外祖父颤巍巍的，于是他将一只手放在我的肩头。

我在环道上找到了盖特，跑到他身边，他看着水面。风刮得紧，我的头发吹到眼睛里。我吻他时，他的嘴唇是咸的。

11

离在比奇伍德的第十六个夏天还有八个月时，外祖母蒂珀因为心力衰竭而过世。她是个漂亮的女人，即使她老了。白色的头发，粉红的面颊,又高又瘦。正是她让妈妈如此爱狗。从孩子们小的时候起，直到她去世，她总是至少养两条金毛猎犬，有时候养四条。

她有些武断，并且厚此薄彼，但她也很热情。在比奇伍德，小的时候，如果我们早起，可以去克莱尔蒙特叫醒外婆。她冰箱里有松饼面糊，她倒进烤盘里，在岛上的其他人醒来前，可以让你吃热松饼吃个够。她会带我们去摘浆果，帮我们做派或者她称作塌饼的东西当那晚的晚餐。

她的一个慈善项目是每年为在马撒葡萄园的农学院办一个募捐晚会。以前我们全都去。晚会在户外漂亮的白色帐篷里举行。小家伙们穿着礼服，不穿鞋子到处乱跑。约翰尼、米伦、盖特和我偷喝一瓶瓶的酒，头晕目眩。外婆和约翰尼跳舞，再和我爸爸跳，再和外公跳，一只手提着裙摆。我之前有一张外婆参加这种募捐晚宴的照片。她穿着晚礼服，手提一只小猪存钱罐。

在比奇伍德的第十五个夏天，外祖母蒂珀不在了。克莱尔蒙特感觉空荡荡的。

那是栋三层的灰色维多利亚风格建筑。有角楼和环形门廊。屋里满是《纽约客》的新颖漫画、全家福、绣花枕头、小型雕像、象牙镇纸、鱼标本匾额。到处都是蒂珀和外公收集的漂亮玩意。草地上是一张巨大的野餐桌，足够坐下十六个人，离挂在巨大枫树上的轮胎秋千有一段距离。

外婆过去常常在厨房忙活，并且筹划户外活动。她在自己的工艺室做被子，整个楼下都听得见缝纫机的嗡嗡声。她还戴着园艺手套、穿着蓝色牛仔裤指挥园丁们。

如今这栋房子静悄悄的。台面上没有打开的烹饪书，厨房音响设备没有播放古典音乐。然而所有的肥皂盒里放的仍是外婆最喜欢的肥皂。花园里种着她的植物。她的木勺子，她的餐巾布。

有一天，周围没人时，我去了一楼后面的工艺室。我摸了摸外婆收集的布料、闪亮的纽扣、五颜六色的线。

我感觉我的头和肩先融化，接着是我的臀部和膝盖。不久我就成为一个水坑，浸在漂亮的印花棉布里。我浸湿了她永远完不成的被子，让缝纫机的金属部件生锈。一两个小时里，我不断在流失。我的外婆，我的外婆。永远消失了，尽管我可以闻到布料上她的香奈尔香水味。

妈妈找到了我。

她让我正常点。因为我是正常的。因为我做得到。她让我吸口气，坐起来。

我照她的吩咐做了。再一次。

妈妈担心外公。外婆走后，他腿脚不利索了，要抓住椅子和桌子保持平衡。他是一家之主。她不希望他飘摇。她希望他知道他的孩子们和外孙们还在他身边，和以往一样坚强、快乐。这很重要，她说，这很贴心，这是最好的。别引发痛苦，她说。别提醒别人有人去世了。“你懂吗，卡迪？沉默是痛苦的保护膜。”

我懂，我尽量在谈话中抹去外婆蒂珀，一如我抹去我爸爸。不甘心，却抹得彻彻底底。与姨妈们用餐时，与外公在船上时，甚至与妈妈单独在一起时——我表现得就像这两个重要的人从没存在过。辛克莱家的其他人也和我一样。我们聚到一起时，全都满面笑容。贝丝离开布罗迪姨丈时我们如此，威廉·丹尼斯离开卡丽时亦是如此，外婆的狗佩佩尔米尔死于癌症时也是如此。

盖特不懂这些。实际上，他经常提及我父亲。爸爸发现盖特是个不错的下棋对手，也是他无聊的军事史故事的积极听众，因而他们一起消磨过一些时光。“记得那次你爸爸让桶里的那只大螃蟹夹住的情形吗？”盖特会说。或者对妈妈说，“去年萨姆告诉我船库里有用假蝇钓鱼的工具，你知道在哪里吗？”

他提到外婆时，餐桌上的谈话会戛然而止。有次盖特说，“我想念她站在桌子脚边分发甜点的样子，你们呢？十足的蒂珀。”约翰尼不得不大声地谈论起温布尔登[1]，直到阴云从我们每个人的脸上消散。

盖特说起这些事情，每次都如此随意真诚，如此不知不觉——但

[1] 英国英格兰东南部城市，位于伦敦附近，是著名的国际网球比赛地。——译者注

那时，我的血管洞开，手腕撕裂，血流到掌心。我头晕目眩，摇摇晃晃从桌边站起来，或者在相当可耻的痛苦中昏倒，希望家里没人注意到我，尤其是妈妈。

盖特几乎总能看见。血滴落到我赤裸的双脚或者倾倒在我正在读的书本上时，他非常体贴。他把我的手腕裹在柔软的白纱里，问我出了什么事。他问到爸爸和外婆——似乎说点什么会让一切好起来，似乎伤口需要关注。

即使过了这么多年，他仍然是我们家的局外人。

我不流血的时候，米伦和约翰尼去潜泳、和小家伙们吵架，或者大家都躺在克莱尔蒙特的沙发上看平板电视上的电影时，盖特和我躲开去。午夜时分，我们坐在轮胎秋千上，手臂和腿彼此缠绕，温暖的唇贴着夜间冰冷的肌肤。早上,我们窃笑着溜进克莱尔蒙特地下室，那里满是酒瓶和百科全书。我们亲吻，赞叹对方的存在，感到神秘而幸运。有些日子，他给我写一些短笺，随同小礼物一起放在我的枕头下面。

有人曾写道小说应该传递一系列的微小奇迹。与你待上一小时，我得到了同样的感受。

这儿有一支系在缎带上的绿色牙刷。

用它来表达我的感情还不够。

好过与你共度昨晚的巧克力。

愚蠢的我，先前以为没有什么比巧克力更好。

作为深刻与象征性的姿态，我给你我们去埃德加敦时买的这块 Vosges 巧克力。你可以吃了它，或者就坐在它旁边，心中升腾起优越感。

我没有回信，但我给盖特画了我们两人的傻气蜡笔画。线条人物在古罗马圆形剧场前、在埃菲尔铁塔前、在山顶上、在龙脊上挥手。他把那些画贴在他的床头。

只要有机会，他就靠近我。晚餐时在桌子底下，还有厨房没人的时候。外公驾驶摩托艇时，就在他背后，偷偷地、快活地。我感觉我们之间没有障碍。只要没人在看，我就用手指触摸盖特的颧骨，直到他的背。我摸他的手，把我的拇指抵在他的手腕上，感觉到血在他的静脉里涌流。

12

第十五个夏天的七月下旬，有天晚上我去小海滩边游泳。独自一人。

盖特、约翰尼和米伦在哪里？

我着实不清楚。

我们在红门玩了很长时间的拼字游戏。他们也许在那里。他们也可能在克莱尔蒙特，听姨妈们争吵，吃水面饼干上的李子酱。

不管怎样，我穿着背心、胸罩和内裤下了水。显然我就是穿着这身走到海滩的。我们一直没在沙滩上找到我的任何衣服。也没有毛巾。

为什么？

我着实不清楚。

我肯定游出去很远。离岸边不远处有大块陡峭的黑色岩石，黑暗中看上去很可怕。我肯定是把我的脸置于水中，头撞在了其中一块岩石上。

正如我之前所说，我不清楚。

我只记得：我纵身跳进海里，坠入岩石嶙嶙的海底，我可以看见比奇伍德岛的基底，我的手脚麻木，手指冰冷。下落时一片片海草从我身边漂过。

妈妈在沙滩上找到了我，我蜷缩成一团，一半在水下。我无法控制地抖个不停。大人们把我裹在毯子里。他们在卡德唐尽力让我暖和起来。他们喂我茶，给我衣服，但当我不住颤抖、一句话也不说时，他们带我去了马撒葡萄园上的一家医院，我在那里待了几天，医生们给我做了些检查。体温过低、呼吸道感染，最有可能是某种头部损伤，尽管脑部扫描没什么发现。

妈妈订了间旅馆房间，守在我旁边。我记得卡丽姨妈、贝丝姨妈和外公悲伤阴沉的脸。我记得医生们判定我的肺是空的之后很久，我还感觉肺里充满了东西。我记得我感觉我再也暖和不起来，即使他们跟我说我的体温正常。我的手疼。我的脚疼。

妈妈带我回弗蒙特家中休养。黑暗中，我躺在床上，悲切万分。因为我病了，但更因为盖特从没打电话过来。

他也没有写信来。

我们不是在恋爱中吗？

不是吗？

我愚蠢地给约翰尼发了两三封害相思病的电子邮件，让他打听一下盖特的情况。

约翰尼明智地没有答理我。话说回来，我们是辛克莱家的人，辛克莱家的人可不像我这般行事。

我不再写邮件，还从已发送文件夹删除了所有邮件。这些邮件牵强而糊涂。

归根结底，我受伤后，盖特离开了。

归根结底，这不过是夏日的短暂恋情。

归根结底，他爱的也许是拉克尔。

反正我们住得太远。

反正我们的家庭走得太近。

我一直没找到一个解释。

我只知道他离我而去。

13

欢迎来到我的头骨。

这里，时常像一辆卡车碾压着我的颈部及头部筋骨经过。脊椎折断，大脑爆裂流出黏液。眼前金光乱闪。世界倾斜。

我呕吐。我昏迷。

这种情况经常发生。这只是平常的一天。

自我出事后的第六个星期我开始感到疼痛。没人确定两者之间有联系，但是呕吐、体重减轻，以及无处不在的恐惧是不能否认的事实。

妈妈带我做了几次核磁共振和CT扫描。针头、机器。更多的针头，更多的机器。他们检查我是否患有脑瘤、脑膜炎，什么都做。为了减轻痛苦，他们开了这种药、那种药、又一种药，因为第一种药没有效，第二种药也没有效。他们连我患了什么病都不知道，就给我开了一张又一张药方。只是想要缓解疼痛。

卡登丝，医生们说，别吃太多。

卡登丝，医生们说，提防上瘾。

还有，卡登丝，一定要吃药。

和医生的预约那么多,我都不记得。最后医生们得出了诊断结论：卡登丝·辛克莱·伊斯门：创伤后头痛，也称作 PTHA。创伤性脑损伤引起的偏头痛。

我会好的，他们告诉我。

我不会死。

就是会很疼。

14

在科罗拉多住了一年后，爸爸想再见见我。事实上，他坚持带我去意大利、法国、德国、西班牙和苏格兰——六月中旬开始的一段为期十周的旅行，那意味着第十六个夏天我完全没法去比奇伍德。

“这次旅行的时机太棒了。”收拾我的行李时，妈妈欢快地说道。

“为什么？”我躺在卧室地板上，让她做这件事情。我的头疼。

“外公正在重新装修克莱尔蒙特。”她把袜子卷成团，“我已经跟你说了一百万次了。”

我不记得。“为什么？”

“他自己的主意。这个夏天他待在温德米尔。”

“你去伺候他？”

妈妈点点头。“他不能跟贝丝或卡丽待在一起，并且你知道他需要照顾。无论如何，你会在欧洲得到绝妙的教育。”

“我宁愿去比奇伍德。”

“不，你不行。”她坚决地说。

在欧洲，我呕吐进一个个小桶里，用白垩英国牙膏一遍遍地刷牙。我俯卧在博物馆的浴室地板上，面颊贴着冰冷的瓷砖，我的大脑被液化，渗出我的耳朵，发出汩汩的声音。偏头痛让我的血液布满陌生的宾馆床单、滴到地板上、渗进地毯里，染红剩余的羊角面包和意大利蕾丝饼干。

我能听见爸爸在叫我，但在我的药生效以前我从不回应。

那个夏天，我想念说谎者们。

整个学年，我们从不联系。至少，不多，虽然我们更小的时候做过这样的尝试。我们发短信，在夏日照片中标出彼此，尤其在九月份时，但约莫一个月后，我们就必然淡出。不知怎么的，比奇伍德的魔力从没持续到我们的日常生活。我们不想听到有关同学、社团和运动队的故事。我们知道下一个六月我们在码头相见时，空气中散发着海盐的味道，灰蒙蒙的太阳在水面上闪光，我们的感情会恢复。

然而我出事后的第二年，我有好多天甚至好多个星期没有去学校。我挂科，校长通知我必须留级。我不再踢足球，也不打网球。我不能当临时保姆、不能开车。我与朋友们疏远了。

我给米伦发了几次短信，打电话给她，给她留言，过后总为这些留言羞耻，它们听起来如此孤独，需要精神支持。

我也给约翰尼打了电话，可他的语音信箱满了。

我决定不再打电话。我不想一直说那些让我感到脆弱的事情。

爸爸带我去欧洲后，我知道说谎者们在岛上。外公没有给比奇伍德装网络，手机在那里接收不到信号，于是我开始写邮件。与我可鄙的语音留言不同，这些邮件好玩迷人，不像是来自一个头疼的人。

多半如此。

米伦！

从巴塞罗纳朝你挥手，我父亲在这里喝了蜗牛汤。

我们的旅店一切都金灿灿的，连盐瓶都是。这实在让人不能接受。

给我写信，跟我说说小家伙们怎么调皮捣蛋，你在申请哪里的大学，以及你是否找到了真爱。

卡登丝

约翰尼！

从巴黎向你问好，我父亲在这里吃了只青蛙。

我看到了胜利女神像。身体非凡，没有手臂。

想念你们。盖特好吗？

卡登丝

米伦！

从苏格兰的一座城堡里向你问好，我父亲在这里吃了羊杂碎肚，意思是说我父亲吃了用一只羊的心、肝、肺和燕麦调成的馅、那是包在羊肚中煮成的。

你现在明白，他是那种吃心脏的人。

卡登丝

约翰尼！

我在柏林，我父亲在这里吃了一根血肠。

我潜水。吃蓝莓派。打网球。生篝火。然后回来。我无聊得很，如果你不回复，我会想出有创造力的惩罚。

卡登丝

他们没有回复，我并不十分惊讶。除了得去马撒葡萄园才能上网这一事实以外，还因为比奇伍德是个非常封闭的小世界。一旦到了那里，宇宙的其他地方似乎只是一个不愉快的梦。

欧洲也许都不存在。

15

再一次，欢迎来到美好的辛克莱家族。

我们相信户外运动有益。我们相信时间治愈一切。

虽然我们不会说得如此直白，我们相信处方药和鸡尾酒会时刻。

我们不在餐厅讨论我们的问题。我们不相信显露痛苦有用。我们隐藏感情，也许因为我们不表露自己的真心，人们对我们很好奇。

也许我们喜欢别人对我们好奇。

在伯灵顿，现在只有我、妈妈和几条狗。我们没有在波士顿的外公的权力，也没有比奇伍德岛上全家人的影响力，但我还是知道人们怎么看待我们。妈妈和我是同类人，住在山顶上带门廊的大房子里。

身材高挑的母亲和体弱多病的女儿。我们有高颧骨和宽肩膀。我们在镇里办事时，露齿而笑。

体弱多病的女儿说话不多。以前在学校与她相识的人远离她。反正在她生病之前他们对她并不熟识。即便在那时她也沉默寡言。

如今她不怎么上学。她在学校时，苍白的皮肤和水汪汪的眼睛让她看起来悲伤莫名，就像小说中由于痨病而形销骨立的女主角。有时她在学校跌倒，大哭不止。她把其他学生吓坏了。就连心肠最好的学生也厌倦了陪她去护士办公室。

不过，她有神秘的光环，不会遭到别人的取笑，也不会被认为煞风景。她母亲是辛克莱家的人。

当然，我对于自己深更半夜喝一罐鸡汤，或者躺在学校护士办公室的荧光灯下，一点也不感觉神秘。妈妈和我吵架的样子根本称不上好看，既然爸爸已经离开。

我醒来发现她站在我的卧室门口，一动不动地看着。

“别在门口绕来绕去。”

“我爱你，要照看你。”她说，手放在胸口。

“唉，别这样。”

如果我能把她关在门外，我会的，可我站不起来。

我经常发现散落各处的纸条，上面记录的似乎是我某天所吃的食

物：烤面包和果酱，但只吃了二分之一；苹果和爆米花；葡萄干沙拉；巧克力棒；意大利面。水合？蛋白质？太多姜汁？

我不能开车，这并不是什么光鲜的事。星期六晚上在家里一堆臭烘烘的金毛猎犬之间读一本小说，也不是什么神秘的事。但是，被人视为一个谜，辛克莱家的一员、特别人群特权家族的一部分、神奇重要的故事的一部分，我没法不为所动，因为我就是这个家族的一员。

我母亲也没法不受影响。

我们从小就被培养成这种人。

辛克莱家族。辛克莱家族。

W e

w e r e

l i a r s

〔第二部分〕
CHAPTER 02

被选择遗忘的第十五个夏天

记不起来第十五个夏天的其他事情时，我过去常常问妈妈。我的健忘让我害怕。我请求知道忘记的事情。

我想回比奇伍德。我想见米伦，躺在阳光下，计划我们的未来。我想和约翰尼争辩，去潜水，做冰激凌。我想知道盖特为什么消失了。我受伤后他为何离开了。我想记起我的事故。

16

我八岁时，爸爸送给我一摞童话书作为圣诞节礼物。这摞书的封面五颜六色：黄色、蓝色、深红色、绿色、灰色、棕色以及橙黄色，里面是来自世界各地的童话，对各种熟悉的故事进行了无穷变换。

读这些故事时，你看到一个故事模仿了另一个故事，另一个故事又模仿这一个故事。很多故事设定了同样的前提：从前，有三个。

三个什么。

三只猪。

三只熊。

三兄弟。

三个士兵。

三头公山羊。

三位公主。

自从我从欧洲回来，我自己写了些故事。做了些变动。

我有的是时间，让我给你们讲一个故事。我是说，对你们以前听过的一个故事稍加改动后的版本。

从前有位国王，他有三个漂亮的女儿。

随着他渐入老境，他开始思量该由哪一个女儿来继承王位，因为三个女儿都没有结婚，他没有继承人。国王决定让他的女儿们显示一下她们对他的爱。

他对大公主说："告诉我，你是怎样爱我的呢？"

她爱他，就像王国的所有财宝加在一起。

他对二公主说："告诉我，你是怎样爱我的呢？"

她用铁一般的力量爱他。

他对小公主说："告诉我，你是怎样爱我的呢？"

小公主思考了很长时间。最后她说她爱他，就像肉爱盐。

"那么你根本不爱我。"国王说。他把她赶出城堡，拉起她身后的桥，让她不能回来。

这样一来，小公主进入了森林，连件大衣或者一块面包都没带。整个严冬，她到处游荡，在树下安身。她来到一间小店，当了厨师助理。日子一天天过去，小公主渐渐成为厨房好手。最终她在厨艺上超越了她的雇主，她做的美食家喻户晓。

岁月流逝，大公主要结婚了，由来自这家小店的厨师做婚礼膳食。

最后一道菜是烤乳猪。这是国王最爱的菜肴，但是这次菜里没有放盐。

国王尝了一口。

又尝了一口。

“是谁，胆敢在未来女王的婚宴上呈上这样差劲的烤肉？”他大叫道。

公主厨师出现在她父亲面前，但她变化很大，他没有认出她来。“我不会给您放盐，陛下，”她解释道，“因为您不是说这样做毫无价值，从而放逐了您的小女儿吗？”

听到她的话，国王不仅意识到她是他的女儿——实际上，她还是最爱他的女儿。

然后呢？

大女儿和二女儿一直与国王生活在一起。头一个星期这一个受宠，下个星期另一个受宠，父亲不断地比较，让她们彼此疏远。如今小女儿回来了，国王把王位从大女儿手上夺了回来，她刚结婚，不会成为女王。大女儿怒不可遏。

起初，小女儿陶醉于父爱中。不久以后，她意识到国王精神错乱、迷恋权力。她将成为女王，但她的余生都需要照顾一个疯狂的老暴君。她不会离开他，不管他病得有多重。

她留下来是因为她爱他，就像肉爱盐吗？

或者说她留下来是因为他承诺让她继承王位？

对于她来说，很难分辨。

17

欧洲之行后的那个秋天，我启动了一个项目。我每天赠送一些我的东西。

我给米伦寄了个头发很长的旧芭比娃娃，我们小的时候曾经为了这个娃娃吵架。我给约翰尼寄了一条条纹围巾，我过去常戴这条围巾。约翰尼喜欢条纹织物。

对于家里的老人——妈妈、姨妈们、外公——收集漂亮东西是一个人生目标，死时东西最多的人赢。

赢得什么？我很想知道。

我以前非常喜欢漂亮玩意，就像妈妈一样，就像所有辛克莱家的人一样。但我早已不是那个我了。

妈妈把伯灵顿的家里塞满了银制品和水晶玻璃制品，茶几书籍和羊绒毯。每个房间都铺着厚地毯，她赞助的几个本地艺术家的画在我们的墙上排列成行。她喜欢古瓷器，把它们摆在餐厅。她把性能良好的萨博轿车换成了宝马。

这些象征着富足与品味的东西一无用处。

“美是一种正当的用途，”妈妈争辩道，“美创造出一种空间感、个人历史感。甚至乐趣，卡登丝。你听说过乐趣吗？”

然而关于她为什么拥有这些物品，我认为她在说谎，对我，也对她自己。购买一件新东西带来的冲击让妈妈充满力量，即使只是片刻。拥有一栋装满漂亮东西的房子，从附庸风雅的朋友们那里买来昂贵的贝壳画、从蒂芙尼买勺子等是身份的象征。古董和东方地毯告诉人们我母亲或许是一位从布林莫尔学院退学的养狗人，但她有能力——因为她有钱。

赠送：我的枕头。我带着它去办事。

有个女孩靠在图书馆外面的墙上，脚踝边放着个纸板杯装零钱。她不比我大。

“你要这个枕头吗？”我问，“枕套我洗过了。”

她拿过去，坐在了枕头上面。

那天晚上我的床睡着不舒服，但那样最好。

赠送：二年级时我读过的《李尔王》平装本，我在床底下找到的。

捐给了公共图书馆。

我不需要再读它了。

赠送：外婆蒂珀在农学院晚会上的一张照片，穿着晚礼服，拿着小猪存钱罐。

回家的路上我顺道去了趟慈善超市，“嘿，卡登丝。”柜台后面的帕蒂说，“送东西来？”

“这是我外婆。”

“她是位美丽的女士，”帕蒂凝视着照片，“你确定不把照片取出来？你可以只捐相框。”

“我确定。”

外婆死了。留着她的照片于事无补。

“你又去慈善超市了？”我回家时妈妈问道。她在用一把特别的水果刀把桃子切成片。

“是的。”

“你把什么东西处理掉了？”

“就一张外婆的老照片。”

“拿着小猪的？”她的嘴唇颤动，“噢，卡迪。”

“我有权送出自己的东西。”

妈妈叹气道，“要是你送出一只狗，你将永远不知道它的结局。”

我蹲下到狗那么高。波什、格伦德尔和波皮温柔地“汪汪”叫着迎接我。它们是我们家的宠物狗，个头大，行为规矩。纯种金毛猎犬。波皮给妈妈的公司生了几窝小狗，不过这些小狗和其他小狗跟妈妈的合伙人住在伯灵顿郊外的一个农场里。

“我绝不会。”

我在它们柔软的耳边低声倾诉我有多爱它们。

18

如果在谷歌上搜索“创伤性脑损伤”，大部分网站告诉我这会导致选择性失忆。大脑受到损伤时，病人常常会忘记一些事情，不能拼凑出有关创伤的完整故事。

然而我不想让别人知道我就是这种情况。在看了这么多次医生，做了这么多次扫描，吃了这么多药后，还是如此。

我不想被称为残疾。我不想吃更多的药。我不想看医生，不想见热心的老师们。天知道，我看够医生了。

从我出事的那个夏天，我记得的是：

在红门厨房门口爱上盖特。

他送给拉克尔的玫瑰，我浸泡在酒中的夜晚，愤怒地旋转。

表现正常。做冰激凌。打网球。

厚达三层的饼干夹心甜点。我们让盖特闭嘴时，他极度不快。

夜泳。

在阁楼上亲吻盖特。

听焦糖爆米花的故事，扶外公下楼。

轮胎秋千、地下室、环道。盖特和我彼此相拥。

盖特看见我流血。问我问题。给我包扎伤口。

我不记得其他事情了。

我能看见米伦的手，金色指甲油有缺损，拿着汽艇上用的一罐汽油。

妈妈，她的脸绷紧，问道："黑珍珠？"

约翰尼的脚，从克莱尔蒙特的楼梯跑下来，一直跑到船库。

外公，抓住一棵树，他的脸被篝火的火光照亮。

我们四个说谎者，笑到感觉发晕要吐。什么东西那么好笑？

怎么回事？我们在哪里？

我不知道。

记不起来第十五个夏天的其他事情时，我过去常常问妈妈。我的健忘让我害怕。我建议停止服药，尝试新药，或者见个不同的医生。我请求知道忘记的事情。然后深秋的一天——那个秋天因为下了死亡通知的疾病，我一直在接受各种检查——妈妈哭了起来。"你翻来覆去问我。你从来不记得我说的话。”

“对不起。”

她边说边给自己倒了杯酒，“在医院醒来那天，你就开始问我，‘出了什么事？出了什么事？’我告诉了你真相，卡登丝。我总是这么做，你重复给我听。可是第二天你会再问。”

“对不起。”我再次说道。

“你仍然几乎每天问我。”

这是真的。我不记得我的那次事故。我不记得之前和之后发生了什么。我不记得看医生。我知道这些事情肯定发生过，因为它们当然发生了——现在我有了诊断结论和药物——但几乎我所有的治疗都是白搭。

我看着妈妈，看着她十分愤怒又忧虑的脸庞，流泪的眼睛、歪斜松弛的嘴巴。“别问了，”她说，“医生们认为你自己想起来更好。”

我让她给我讲最后一次，我写下她的答案，这样回头我想看时就能看看。这就是为什么我可以告诉你们夜泳事故，岩石、体温过低、呼吸困难以及未确认的创伤性脑损伤。

我再也没问过她任何事。有很多事情我不明白，但这样一来她也不必进行渲染。

19

爸爸打算带我去澳大利亚和新西兰过第十七个夏天。

我不想去。

我想回比奇伍德。我想见米伦，躺在阳光下，计划我们的未来。我想和约翰尼争辩，去潜水，做冰激凌。我想在小海滩的岸边生篝火。我想挤进克莱尔蒙特门廊的吊床，再次成为说谎者，如果可能的话。

我想记起我的事故。

我想知道盖特为什么消失了。我不知道那时他为何不是和我一起游泳。我不知道那时我为何独自去小海滩。为什么我穿着内裤游泳，沙难上没有任何衣服。我受伤后他为何离开了。

我想知道他是否爱我，我想知道他是否爱拉克尔。

爸爸和我五天后要前往澳大利亚。

我真不该同意去。

我表现得可怜巴巴，哭哭啼啼。我告诉妈妈我不需要见世面，我需要见家人。我想念外公。

不。

如果我去澳大利亚，我会生病的。我会头痛欲裂，我不想坐飞机。我不想吃奇怪的食物。我不想倒时差。要是我弄丢了我的药怎么办？

别说了。这次旅行已经付钱了。

我清晨去遛狗。我把碗碟放进洗碗机，过后又拿出来。我穿上裙子、往脸上抹腮红。我把盘子里的食物吃光。我让妈妈搂住我，抚摸我的头发。我告诉她我想与她共度夏天，而不是跟爸爸。

拜托。

第二天，外公来伯灵顿了，待在客房。自从五月中旬他就在岛上，为了到这里他不得不搭船、搭车、搭飞机。外婆蒂珀去世后，他就没来看过我们。

妈妈从机场接他回来。我则待在家里，摆好餐桌准备吃晚饭。她在镇里一家美食店买了烤鸡和配菜。

与我上次见他相比，外公瘦了。耳边白发丛生，一团团的，非常醒目。他看上去像只小鸟。他身上的皮肤松弛，有个肥大的肚子，我记忆中他不是这样的。他总是看上去不可战胜、肩膀结实宽阔、一口好牙。

外公是那种有座右铭的人。“不接受否定的答案。”他经常对我们说。还有“永远不要在房间后面就座，成功者坐在前面。”

听到这些宣告我们说谎者常常翻起白眼——“要坚决果断，没人喜欢举棋不定的人。”“永不抱怨，永不解释。”——不过我们仍然认为他是一位智者。

外公身穿条纹棉布短裤和平底便鞋。他的腿瘦弱不堪。他拍了拍我的背，要求来一瓶威士忌苏打。

我们吃饭，他谈论着他在波士顿的一些朋友。比奇伍德房子里的新厨房。没什么重要的。后来，妈妈清扫厨房，我带他看后院的花园。夕阳仍挂在天空。

外公摘下一朵牡丹递给我。“给我第一个外孙女。”

“别摘花，好吗？”

“彭妮不会介意的。”

“不，她介意。”

“卡登丝是第一个。”他说，抬头看向天空，没有看我的眼睛。“我记得她到波士顿看我们，穿着粉红的连体衣，头发翘起。三个星期后约翰尼才出生。”

“我就在这里，外公。”

“卡登丝是第一个，她是个女孩不要紧。我会给她一切。就像一个外孙。我把她抱在怀里跳舞。她是我们家的未来。”

我点点头。

“我们能看到她是辛克莱家的一员。她有那样的头发，但不只那些。还有下巴、小手。我们知道她会长很高。我们都很高，直到贝丝嫁给了那个矮家伙，卡丽也犯了同样的错误。”

“你是说布罗迪和威廉·丹尼斯。”

“谢天谢地总算离开了，是吧？”外公笑道，“我们所有人个都高。

你知道我母亲的家族是坐五月花号[1]来的吧？在美国出人头地。”

我知道我们家是否坐五月花号来并不重要。长高不重要。金发也不重要。因而我染了头发：我不想成为最大的外孙辈。那座岛、财富和遗产的女继承人。

可是，也许我想。

长途跋涉一整天后，外公喝了太多酒。“我们进去吗？”我问道，“你想坐下来吗？”

他又摘下一朵牡丹递给我。“祈求原谅，亲爱的。”

我拍了拍他的驼背。“别再摘了，好吗？”

外公弯下腰去触摸白色的郁金香。

“说真的，不要。”我说。

他摘了第三朵牡丹，欢快地，挑衅地。递给我。“你是我的卡登丝。第一个。”

“是的。”

“你的头发怎么了？”

“我染了颜色。”

“我都认不出来了。”

[1] 1620年英国清教徒去北美殖民地时所乘的船只。——译者注

“没关系。”

外公指着那些牡丹，现在全在我手里。“送给你三朵花。你应该拥有三朵。”

他看上去可怜兮兮。他看上去强大有力。

我爱他，但我不确定我喜欢他。我握住他的手领他进入屋内。

20

从前有位国王，他有三个漂亮的女儿。他非常疼爱她们。三个女孩都到了结婚的年龄，有一天，一条可怕的长着三个头的龙包围了王国，其灼热的气息让村庄熊熊燃烧。它毁坏了庄稼，烧掉了教堂。它杀死了遇到的婴儿、老人以及介于之间的所有人。

国王承诺杀死这只龙的人可以娶公主。英雄和勇士们穿着盔甲、骑着战马、背着宝剑和弓箭赶来。

这些人一个接一个地被杀戮被吃掉。

最后国王推断一位少女或许能融化龙的心，做成勇士们办不到的事。他送大女儿去请求龙的怜悯，但是她的恳求龙一个字都没有听。它整个把她吞了下去。

然后国王送二女儿去请求龙的怜悯，但是龙还是一样，在她说话之前把她吞掉了。

国王又送小女儿去请求龙的怜悯，她可爱聪明，他确信她会达成别人没有达到的目标。

实际上不是。龙还是把她吃掉了。

现在，我来问你们。谁杀死了这些女孩？

那条龙，还是她们的父亲？

外公第二天离开后，妈妈给爸爸打了电话，取消了澳大利亚之行。有争吵。有协商。

最后他们决定这个夏天我去比奇伍德过四个星期，然后去爸爸在科罗拉多的家，我从没去过那里。他坚持。他不希望我整个夏天都不陪他，不然会有律师介入。

妈妈给姨妈们打了电话。她在我们家的门廊与她们进行了长时间的私密谈话。我只听到了几句：卡登丝非常脆弱，需要多休息。只是四个星期，不是整个夏天。不要有任何事情打搅她，治疗是个逐步的过程。

还有灰比诺、桑塞尔，也许某种雷司令。绝对没有霞多丽[1]。

[1] 灰比诺、桑塞尔、雷司令、霞多丽，均为葡萄酒名。——译者注

21

现在我的房间几乎空了。床上只有床单和一条盖被。桌上一个笔记本电脑，几支笔。一把椅子。

我有几条牛仔裤和几条短裤。我有几件 T 恤、法兰绒衬衫及暖和的毛衣；一套泳衣，一双运动鞋、一双卡骆驰鞋，一双靴子。两条裙子，几双高跟鞋。保暖外套、猎装、帆布粗呢包。

架子上空无一物。没有照片，没有海报，没有旧玩具。

赠送：昨天妈妈买给我的旅行牙刷用品。

我有一支牙刷。我不知道她为什么又要给我买一支。她就只为了买东西而买东西。

实在可怕。

我走到图书馆，找到了那个拿走我枕头的女孩。她仍然靠在外面的墙上。我把牙刷用品放进了她的杯里。

赠送：盖特的橄榄色猎装。我们手牵手，看星星，谈论上帝的那个晚上，我穿过这件衣服。我没有还回去。

我应该首先把这件短上衣送出去。我知道，但我做不到。这是他留给我的唯一物品了。

可是这样显得软弱、愚蠢。盖特并不爱我。

我也不爱他，也许我从没爱过他。

后天我就会见到他，我不爱他，我不想留着他的短上衣。

22

我们前往比奇伍德的前一天晚上十点钟，电话响了。妈妈在淋浴间。我接了起来。

沉重的呼吸声。接着是笑声。

“哪位？”

“卡迪？”

我意识到是个小孩。“是的。”

“我是塔夫脱。”米伦的弟弟。他不懂礼貌。

“你怎么还没睡觉？”

“你吸毒，这是真的吗？”塔夫脱问我。

“不是。”

“你确定？”

“你打电话来就是要问我是否吸毒？”自从出事后，我没跟塔夫脱说过话。

“我们在比奇伍德，”他说，“我们今天早上来的。”

很高兴他换了话题。我轻快地说道："我们明天到。那里好吗？你去游泳没？"

"没有。"

"你去坐轮胎秋千了吗？"

"没有，"塔夫脱说，"你确定你不吸毒？"

"你从哪听来的？"

"邦妮。她说我应该提防你。"

"别听邦妮的，"我说，"听米伦的。"

"我就是这么说的，但是有关卡德唐的事，只有邦妮一个人相信我。"他说，"我就想打电话给你。你不要吸毒，因为吸毒的人不知道发生了什么事。"

"我不吸毒，小子。"我说，虽然也许我在说谎。

"卡德唐闹鬼，"塔夫脱说，"我可以来温德米尔和你睡吗？"

我喜欢塔夫脱。确实。他有点疯狂，长满了雀斑，米伦爱他，远远多于爱双胞胎。"没有闹鬼。那只是风吹过房子，"我说，"风也吹过温德米尔。窗户格格作响。"

"那里也闹鬼，"塔夫脱说，"妈妈不相信我，利伯蒂也不相信我。"

他更小的时候，老是认为壁橱里有怪兽。后来他确信码头下面有一只海怪。

“让米伦帮你，”我告诉他，“她会给你读个睡前故事，或者唱歌给你听。”

“你真这么认为？”

“她会的。等我到了，我会带你去漂流和潜水，你会度过一个愉快的夏天。塔夫脱。”

“好的。”他说。

“不要害怕古老讨厌的卡德唐，”我告诉他，“让它看看谁是主人。明天见。”

他挂了电话，没有说再见。

We were liars

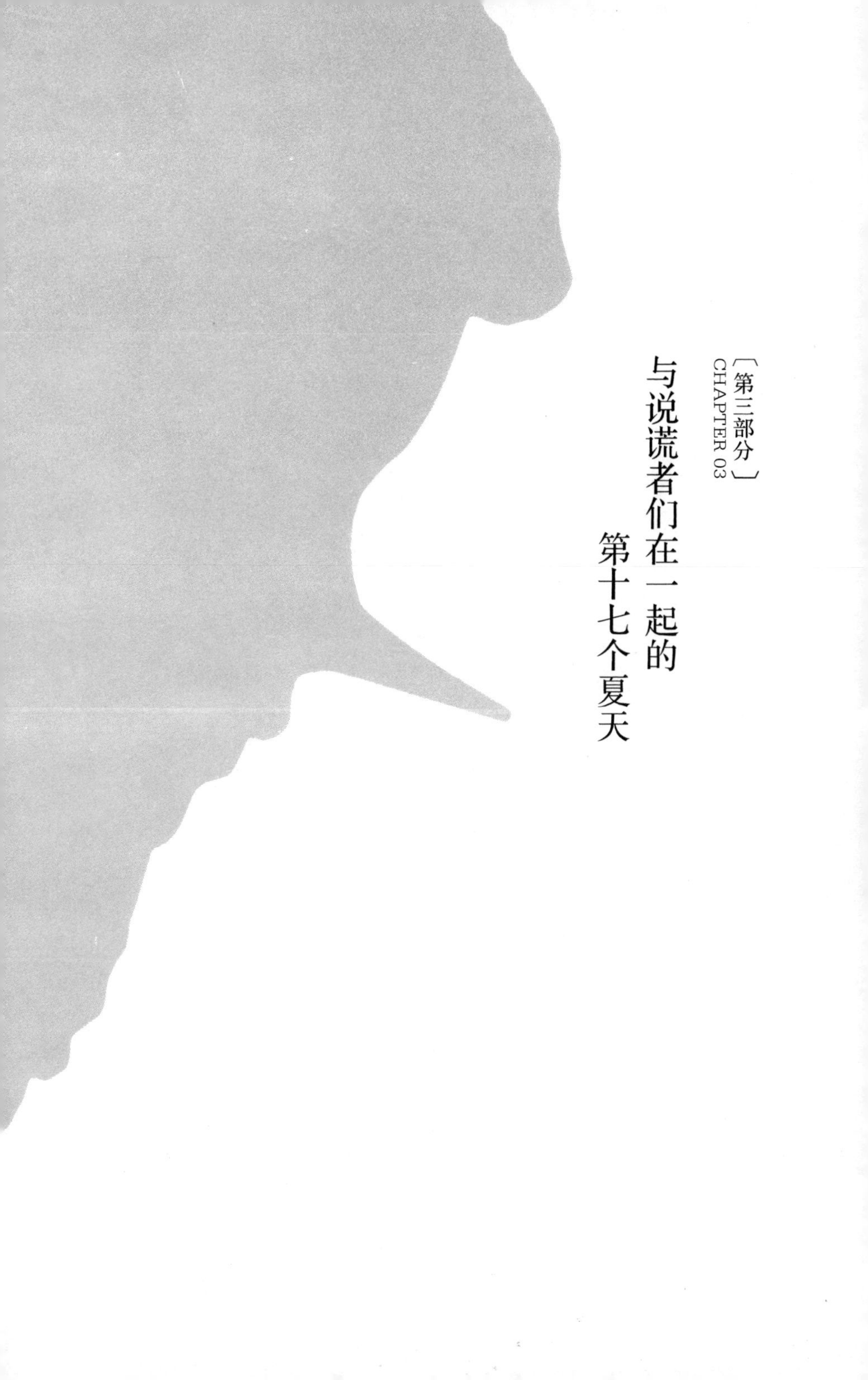

〔第三部分〕
CHAPTER 03

与说谎者们在一起的第十七个夏天

米伦站在栅栏下边，高兴地挥着手，她的头发在风中翻飞。

约翰尼上蹦下跳，不时做一个侧手翻。

盖特，我的盖特，从前是我的盖特——他也出来迎接我。

欢迎回家，他们说，欢迎回家。

23

在港口城镇伍兹霍尔，妈妈和我让金毛猎犬们从车里出来，拖着行李去码头上卡丽姨妈站立的地方。

卡丽久久地拥抱了妈妈，然后帮我们把行李和狗装上大汽艇。“你比任何时候都更漂亮，”她说，“感谢上帝，你来了。”

“哦，安静些。”妈妈说道。

“我知道你病了。”卡丽对我说道。她在姐妹中个子最高，是辛克莱家的长女。她的羊绒毛衣很长，嘴角边的线条深邃。她戴着外婆的古老翡翠首饰。

“我没事，扑热息痛和几小杯伏特加就可以治疗。”我说。

卡丽笑了，不过妈妈向前倾身，说道：“她没有服用扑热息痛。她服用的是医生开的不上瘾药物。”

不是这样的。不上瘾药物不管用。

“她看上去太瘦了。”卡丽说。

“全是伏特加，”我说，“我体内装满了伏特加。”

“她疼痛时吃不了多少，”妈妈说，“疼痛让她感到恶心。”

“贝丝做了你喜欢的蓝莓派。”卡丽姨妈告诉我。她又给了妈妈一个拥抱。

“你们这些人一下子这么喜欢拥抱，”我说，“你们以前从不拥抱。”

卡丽姨妈也拥抱了我，她身上散发出高档的柠檬香水味。我好长时间没见到她了。

驶出港口后的水路，寒冷而耀眼。我坐在船的后面，妈妈站在驾船的卡丽姨妈旁边。我把手伸进水里让它拖着走。水花溅散到我的粗呢外套袖子上，浸湿了船帆。

我马上就要见到盖特。

盖特，我的盖特，不是我的盖特。

房屋。小家伙们，姨妈们，说谎者。

我会听到海鸥的叫声，品尝塌饼、派和自制冰激凌。我会听到网球的乓乓声，金毛猎犬的吠声，潜水时我呼吸的回声。我们会生起篝火，那闻起来有灰烬的味道。

我会留下来吗？

没过多久，比奇伍德熟悉的轮廓隐隐出现在我们面前。我看到的第一栋房子是有许多尖顶的温德米尔。右边那个遥远的房间是妈妈的房间，挂着她的淡蓝色窗帘。我自己的窗户朝向岛内。

卡丽驾船绕过岬角，在陆地的最低点，我能看到圆墩墩的盒式卡德唐。一个极小的、沙土色的小海湾——小海滩——被塞在长长的木楼梯底端。

我们绕到岛的东边时，风景发生了变化。树林遮盖住了红门，但我瞅见了它的红色镶边。然后是大海滩，由另一个木楼梯可到达。

克莱尔蒙特坐落在最高点，三面环海。我伸长脖子去寻找它亲切的角楼——但它不在那里。过去荫庇斜向大院子的树也不在了。没有了维多利亚风格的六间卧室、环绕式门廊和乡村厨房，没有了很久以前外公每年消夏的那栋房子，取而代之的是屹立在石山上的一栋造型优美的现代建筑。一侧是一座日式花园，另一侧是裸岩。那栋房子用了大量玻璃和铁。扫兴。

卡丽关掉引擎，这样更便于说话。“这是新克莱尔蒙特。”她说。

“去年还只是一个框架，我没想到他连草坪都没留。”妈妈说。

“等你看到里面再评论。墙壁上空无一物，我们昨天到的时候，冰箱里只有几个苹果和一块楔形哈瓦蒂干酪。”

“他是从什么时候开始喜欢哈瓦蒂干酪的？”妈妈问道，“哈瓦蒂干酪算不上优质奶酪。”

“他不会购物。新来的厨师金妮和露西尔，只做他吩咐她们做的事。他一直在吃干酪吐司。不过我列了一个长单子，她们去了趟埃德加敦市场。我们现在的食物足够吃上好几天。”

妈妈哆嗦了下，“还好我们来了。”

她们说话时，我盯着那栋新房子。我当然知道外公翻修过。几天前他来我们家时，他和妈妈还谈起过新厨房、冰箱、特大冷冻柜、电热屉和调料架。

我没想到他会把房子拆毁。草地没有了。还有那些树，尤其底下有轮胎秋千的那棵巨大老枫树。那棵树肯定有一百岁了。

深蓝色的海浪奔腾起来，像一条鲸从海上跃起，呈拱形遮蔽住我。我的脖子痉挛，喉头梗塞。我在它的重压下双腿发软，血液冲进我的脑袋，我淹入水中。

想到挂着秋千的可爱老枫树，一瞬间一切似乎令人悲伤难抑。我们从未告诉那棵树我们有多爱它。我们从未给它取个名字，从未为它做过任何事。它本来可以活更久。

我感到十分寒冷。

“卡登丝？”妈妈到我身边来。

我抓住她的手。

“现在正常点，”她轻声说，“马上。”

“什么？”

“你是正常的，你做得到。”

好的。好的。那只是一棵树。

只是我深爱的一棵挂着秋千的树。

“别惹事，”妈妈轻声说，“吸口气，坐起来。”

我尽快地按她说的做了，一如往常。

卡丽姨妈欢快地说起话来，分散了我们的注意力。“等你们适应了这里，会发现新花园不错，”她说，“有一片喝鸡尾酒的座位区。塔夫脱和威尔在寻找特别的石头。”

她把船开向岸边，我突然看到我的说谎者们在等待，不是在码头，而是在围绕着环道的风干木栅栏边。

米伦站在栅栏下边，高兴地挥着手，她的头发在风中翻飞。

米伦，充满好奇，如蜜糖，如细雨。

约翰尼上蹦下跳，不时做一个侧手翻。

约翰尼生机勃勃，精力十足，具有黠智。

盖特，我的盖特，从前是我的盖特——他也出来迎接我。他站在栅栏的板条边，在现在通往克莱尔蒙特的岩山上。他在假装发信号，用手臂挥舞出繁复的图案，似乎我应该懂得某种密码。他沉思默想，满腔热情，雄心勃勃，像浓咖啡。

欢迎回家，他们说，欢迎回家。

24

我们靠岸时，说谎者们没有到码头来，贝丝姨妈和外公也不在码头上。码头上只有小家伙们：威尔和塔夫脱、利伯蒂和邦妮。

两个男孩都是十岁，互相踢打，四处角力。塔夫脱跑过来抓住我的胳膊。我把他提起来旋转。他轻得惊人，似乎他是只鸟。“你感觉好些了吗？”我问。

“冷冻柜里有冰砖！”他喊道，“三种不同的口味。”

“说真的，塔夫脱。昨天晚上在电话里你有点失常。”

“不是。”

“是的。”

“米伦给我读了个故事。然后我睡觉了。没什么事。”

我弄乱他蜜黄色的头发。“不过是一栋房子。很多房子晚上都很骇人，但是一到早上，它们又变得友好。”

“反正我们不待在卡德唐了，”塔夫脱说，“我们现在搬到新克莱尔蒙特和外公一起住了。”

“真的？”

“在那儿我们必须守规矩，不能像白痴一样。我们已经把东西都拿出来了。威尔在大海滩抓到了三只水母和一只死螃蟹。你要来看看吗？”

“当然。”

“他把螃蟹放进口袋里了，不过水母在水桶里。”塔夫脱说，跑开了。

妈妈和我穿过小岛走向温德米尔，在木板步道上走了一小段路。双胞胎帮我们拎手提箱。

外公和贝丝姨妈在厨房里。长台面上的花瓶里插着野花，贝丝用钢丝块擦洗干净的洗碗槽，外公在读《马撒葡萄园时报》。

贝丝比她的姐妹们柔滑些，皮肤更白皙，但还是一个模子出来的。她穿着白色牛仔裤，海军蓝棉上衣，戴着钻石首饰。她脱掉橡胶手套，亲吻了妈妈，长时间用力地拥抱我，似乎她要拥抱某个深沉而秘密的信息。她闻起来有漂白剂和酒的味道。

外公站起身来，但直到贝丝拥抱完，才走过来。“你好，米伦，”他愉快地说道，“见到你真高兴。”

“他老是那样，”卡丽对我和妈妈说，“叫不是米伦的人米伦。”

“我知道她不是米伦。”外公说。

大人们谈了起来，留下我跟双胞胎在一起。她们穿着卡骆驰鞋和夏裙的样子很别扭。她们现在肯定十四岁左右了。她们有米伦的强壮双腿和蓝眼睛，不过她们的脸清瘦。

“你的头发是黑色的，”邦妮说，“你看上去像一个死去的吸血鬼。”

"邦妮！"利伯蒂打了她一下。

"我是说,那是多余的,因为所有的吸血鬼都是死的,"邦妮说,"不过他们的眼圈发黑，皮肤苍白，跟你一样。"

"对卡迪友善一点，"利伯蒂轻声说，"妈妈跟我们说过。"

"我就是很友善啊，"邦妮说，"大部分吸血鬼都非常性感，那是有文件证明的事实。"

"我告诉你，这个夏天我不想听你谈论令人毛骨悚然的鬼，"利伯蒂说，"昨天晚上已经够糟了。"她转向我，"邦妮痴迷于鬼。她一直在读有关鬼的书，然后她没法入睡。我们共用一个房间真是讨厌。"利伯蒂一口气说完，都没看着我。

"我说的是卡迪的头发。"邦妮说。

"你用不着说她看上去像死人。"

"没事，"我告诉邦妮，"我并不在乎你怎么想，因而完全没问题。"

25

大家都去新克莱尔蒙特了，留下我和妈妈在温德米尔整理衣物。我丢掉我的包，寻找说谎者们。

他们突然像小狗一样窜到我身上。米伦抓住我旋转，约翰尼抓住米伦，盖特抓住约翰尼，我们互相抓住彼此，跳了起来。接着我们又分开了，进入卡德唐。

米伦喋喋不休说着她有多高兴，因为贝丝和小家伙们这个夏天将跟外公住在一起。他现在需要有人陪着。况且贝丝有洁癖，在旁边可不省心。更重要的是，卡德唐现在是我们说谎者的地盘了。盖特说他去泡点热茶，热茶是他新的坏习惯。约翰尼说他装模作样。我们跟随盖特进入厨房。他煮上水。

旋风似的，他们劝说着彼此，欢快地争论，跟以前一模一样。虽然盖特没怎么看我。

我没法不看着他。

他如此英俊。活脱脱的盖特。我了解他下唇的弧度，双肩的力量，把衬衣半塞进牛仔裤的方式，鞋根磨损的状态，不自觉地触摸眉头上伤疤的样子。

见到他，我非常愤怒，也非常高兴。

也许他的生活已经翻篇，像任何适应力强的人那样。过去两年，盖特没有生活在一具头痛和自怜的躯壳里。他跟穿着芭蕾平底鞋的纽约女孩四处转悠，带她们吃中国菜，看乐队演出。如果他没有跟拉克尔在一起，他或许家里有一个甚至三个女孩。

“你弄了头发。”约翰尼对我说。

“是啊。”

“看上去真漂亮。”米伦亲切地说。

“她真高，”盖特说，忙着收拾茶叶、茉莉和英式早茶盒等等，“你过去没这么高，是吧，卡迪？”

“这叫作成长，”我说，“不怪我。”两年前，盖特比我高几英寸。现在我们差不多一般高。

“成长没错，”盖特说，还是没有看我，“只是别长得比我高。”

他是在调情吗？

是的。

“约翰尼总是让我成为最高的那个，”盖特继续说，“从不挑起争端。”

“就像我有选择似的。”约翰尼抱怨道。

“她还是我们的卡迪，”米伦忠诚地说，“或许在她看来，我们不一样。”

但是他们没有变化。盖特穿着两年前的那件绿色旧 T 恤。笑容还是一样挂在嘴边，前倾的样子还是一样，一样夸张的鼻子。

肩宽阔背的约翰尼，穿着牛仔裤和领尖钉有纽扣的粉红格子衬衣，衬衣旧得边都磨破了；指甲被啃过，头发剪短了。

米伦，就像拉斐尔前派的画，那方正的辛克莱下巴。又厚又长的头发堆在她的头顶，她穿着比基尼上装和短裤。

着实令人感到安慰。我爱他们。

我连我事故的基本情况都不知道，他们在意吗？第十五个夏天我们一起做过的事情，我大部分忘了，不知道姨妈们是否说起过我。

我不想他们拿我当病人或者精神不正常的人。

“谈谈大学。”约翰尼说。他坐在厨房台面上。“你去哪了？”

“哪儿也没去。”我没法避免这一真相。我很惊讶他们竟然还不知道。

“什么？”

“为什么？”

“我没有从高中毕业。出事后，我缺了太多课。”

“啊呀，”约翰尼喊道，“太糟糕了。你没有上暑期学校？”

“没有，来这里了。此外，如果我完成了所有的课程作业，再申请会更好。”

“你打算学什么？”盖特问道。

“让我们谈点别的。”

“可我们想知道，”米伦说，“我们都想知道。”

“真的，”我说，“说点其他的。你的感情生活怎么样，约翰尼？”

“啊呀呀。”

我扬起眉毛。

“要是你们像我这么帅，那么情感历程永远不会顺利。”他嘲弄道。

“我交了个男朋友，他叫德雷克·洛格赫德。”米伦说，“他要去波莫纳，跟我一样。我们发生过好几次关系，不过都有防护措施。他有健壮的肌肉，每个星期送我黄玫瑰。”

约翰尼喷出他的茶。盖特和我笑了起来。

“德雷克·洛格赫德[1]？”约翰尼问道。

“没错，”米伦说，“有什么好笑的？”

“没什么。”约翰尼摇摇头。

“我们交往五个月了，”米伦说，“这个夏天他在做拓展训练，下次我见到他时他会有更多的肌肉。”

“你是在开玩笑吧？”盖特说。

“只是一点点，”米伦说，“可我爱他。”

我紧握她的手。我很高兴她在恋爱。“我以后要问你性交的过程。”我警告她。

“等男孩们不在的时候，”她说，“我会全部告诉你。”

我们放下茶杯，走到小海滩，脱掉鞋，在沙滩中扭动脚趾。有极小的、尖锐的贝壳。

“我不会去新克莱尔蒙特吃晚餐，”米伦坚决地说道，“也不去那

[1] 洛格赫德，原文为loggerhead，有“傻瓜”的意思。——译者注

里吃早餐。今年不去。”

“为什么不？”我问道。

“我吃不下，”她说，“姨妈们。小家伙们。外公。他失去了理智，你知道。”

我点点头。

“跟他们待在一起的时间太长了。我只想跟你们一起待在这里，”米伦说，“我不想在那栋寒冷的新屋子里闲荡。那些人没有我，也好好的。”

“我也是。”约翰尼说。

“我也是。”盖特说。

我意识到在我到来之前，他们讨论过这个主意。

26

米伦和约翰尼戴着呼吸管和脚蹼下水了。他们晃来晃去，寻找龙虾。也许那里只有水母和小螃蟹，但即使收获有限，我们也经常在小海滩潜水。

盖特和我坐在一块蜡染的毯子上。我们默默地注视着其他人。

我不知道怎样和他交谈。

我爱他。

他是个混蛋。

我不该爱他。却还爱着他，我真蠢。我必须忘掉这一切。

也许他仍然认为我很漂亮。即使我的发型变了，双眼凹陷。也许。

他的背部肌肉在T恤下面颤动。他颈部的曲线，耳朵柔软的弧度。脖子一侧的一颗棕色小痣。手指甲上的月牙。分开这么久，我一点点地把他刻在心里。

“别看我的怪兽脚。”盖特突然说。

“什么？”

“它们丑陋极了。有个怪兽昨天晚上溜进我屋里，把我正常的脚据为己有，把它粗野的怪兽脚留给了我。”盖特把自己的脚塞进毛巾下面，我看不到了。“现在你知道真相了。”

我们不再谈什么要紧的事，我感到宽心。“穿上鞋。”

“在海滩上我不穿鞋。”他扭动着自己的脚，从毛巾下面伸了出来。它们看上去没什么异样。“我必须表现得一切正常，直到找到那个怪物。然后我会杀掉它，拿回我正常的脚。你有武器吗？”

“没有。”

“得了吧。”

“嗯。温德米尔有个火钳。”

“好的。我们一看到那个怪兽，就用你的火钳杀死它。”

“如果你坚持的话。”

我躺回毯子上，手遮住眼睛。一瞬间我们静默无言。

“怪物们夜间出没。”我补充说。

“卡迪？”盖特对我耳语道。

我转过脸，看着他的眼睛。“嗯？”

“我还以为我再也见不到你了。”

“什么？”我们近到可以亲吻。

“我还以为我再也见不到你了。发生了这么多事情，并且去年夏天你没来这里。”

为什么你不给我写信？我想说。为什么你一直没给我打电话？

他触摸我的脸。“真高兴你来了，”他说，“我非常高兴有这个机会。”

我不知道我们之间是什么关系。我真的不知道。他是个混蛋。

“给我你的手。”盖特说。

我不确定我想。

不过当然我想。

他的皮肤温暖多沙。我们的手指相扣，在阳光的照射下我们闭上眼睛。

我们就这样躺在那里，手拉手，他用拇指摩擦着我的手掌，就像两年前在星空下的那晚。

我的心软化了。

27

我在温德米尔的房间镶着木板，上面刷着乳白色的油漆。床上铺着绿色拼布床单，地上铺着乡村旅舍常见的那种碎布地毯。

两年前你在这里，我告诉自己。在这个房间，每天晚上。在这个房间，每天早上。

很可能你在读书，在 iPad 上玩游戏，挑选衣服。你记得什么？

什么也不记得。

墙上挂着雅致的植物版画，以及我画的三幅画：一幅过去笼罩在克莱尔蒙特草地上的那棵枫树的水彩画，两幅蜡笔画——一幅画的是外婆蒂珀和她的狗菲利普王子和法蒂玛，另一幅画的是我父亲。我从壁橱拖出柳条洗衣篮，取下所有的画，把它们放进篮里。

有个书架上摆着平装书，那是几年前我非常喜欢阅读的青少年读物和玄幻作品，以及我读过一百遍的儿童故事。我把它们拿下来堆在过道里。

“你要把这些书送出去？你爱书。”妈妈说。她从房间走出来，穿着准备用晚餐的新衣服。搽了口红。

“我们可以把这些书捐给马撒葡萄园的某个图书馆，”我说，“或者慈善超市。”

妈妈弯下身翻阅着那些书。“我们一起读过《魔法的条件》（*Charmed Life*），你记得吗？”

我点点头。

“还有这一本。《克里斯托弗的童年时代》（*The Lives of Christopher chant*），那一年你八岁。你什么都想读，但你还不是一个足够好的读者，于是我给你和盖特读上好久的书。”

“约翰尼和米伦呢？”

“他们坐不住，”妈妈说，“你不想留着这些书吗？”

她伸出手来摸了摸我的脸。我往后退。“我希望这些书能找到更好的家。”

“我还以为我们回到岛上后，你会感觉不一样。”

“你把爸爸的所有东西都扔了。你买了新的沙发，新的餐具，新的首饰。”

“卡迪。”

“整栋房子里没有任何东西能表明他曾经和我们生活在一起，除了我。为什么你可以抹去我父亲，而我却不可以——”

“抹去自己？”妈妈说道。

“其他人或许用得到这些书，”我打断她，指向那堆书，“有实际需要的人。你难道不想做点好事吗？”

就在那时，波皮、波什和格伦德尔从楼上猛冲下来，堵塞了过道，舔我们的手，它们毛茸茸的尾巴拍打着我们的膝盖。

妈妈和我一言不发。

最后她说：“你今天下午去小海滩闲逛，或者做了任何事情都没关系。你把你的书捐出去也没关系，如果你那么想捐的话。但我希望你一小时后去克莱尔蒙特吃晚餐时脸上能为你外公挂上笑容。不容商量。没有借口。你明白吗？”

我点点头。

28

几年前的一个便笺本留了下来，那时盖特和我对方格纸着迷。我们用彩色铅笔涂满小方格画像素画肖像，我们画了一张又一张。

我找到一支笔，写下了我对第十五个夏天的所有记忆。

饼干夹心甜点，游泳、阁楼，打断。

米伦的手，有缺损的金色指甲油，拿着汽艇上用的一罐汽油。

妈妈，她的脸绷紧，问道：“黑珍珠？”

约翰尼的脚，从克莱尔蒙特的楼梯跑下来，一直跑到船库。

外公，抓住一棵树，他的脸被篝火的光照亮。

我们四个说谎者，笑到感觉发晕要吐。

有关那次事故的事情，我写在单独的一页上。妈妈告诉我的事情，以及我猜测到的事情。我肯定是独自去小海滩边游泳的。我的头撞到了一块岩石上。我肯定是被冲回岸边的。贝丝姨妈和妈妈给我茶。我被诊断体温过低，有呼吸道疾病，以及扫描没能显示出来的脑损伤。

我把那几页纸钉在床头上方的墙上。我还附上了写满疑问的便利贴。

那天晚上我为什么一个人去游泳？

我的衣服去哪了？

我真的是因为游泳而脑部受损吗，还是发生了其他事情？有人在那之前袭击过我吗？我是某种犯罪行为的受害者吗？

我和盖特之间发生了什么？我们吵架了吗？我错怪他了吗？

他不再爱我了，回到拉克尔身边了吗？

我决意把接下来四个星期了解到的事情全记下来，钉在温德米尔床头上方的墙上。我将睡在这些便条下面，每天早上研究它们。

也许这些像素会形成一张图像。

一个女巫在我身后站了一段时间，等待我软弱的时刻。她拿着一尊象牙鹅雕像，雕刻得很精致。我转过身，欣赏了一会儿雕像，直到她用惊人的力道摇晃它。雕像击中了我，把我的额头砸出了一个洞。我能感觉到我的骨头散了。女巫再次晃动雕像，打中了我右耳上方，敲碎了我的头骨。她继续打，直到小片碎骨落了一床，混杂着原先很漂亮的鹅碎片。

我找到我的药，关上灯。

“卡登丝？”妈妈的声音从过道传来，“新克莱尔蒙特的晚餐好了。”

我不能去。

我不能。我不愿。

妈妈保证就算我吃了药，咖啡也会帮助我保持清醒。她说自从上次姨妈们见到我已经过去了多久，毕竟小家伙们是我的表弟妹。我有家庭责任。

我只能感到头骨的碎裂和穿过头脑的疼痛。其他一切都是暗淡的背景。

最后她独自离开了。

29

深夜，房子格格作响——正是塔夫脱在卡德唐害怕的事情。这儿所有的房子都这样。它们有些年头了，而海风不断吹打着这座岛。

我试图继续睡觉。

不。

我下楼来到门廊。我的头现在好了。

卡丽姨妈在走道上，穿着睡衣和羊毛靴，背对着我往前走。她看上去骨瘦如柴，胸骨露了出来，颧骨凹陷。

她转入通往红门的木板步道。

我坐下来，盯着她的背，呼吸着夜晚的空气，倾听着海浪的声音。几分钟后，她又从卡德唐的小路上过来。

“卡迪，”她说着停了下来，双手交叉在胸前，“你感觉好些了吗？”

“抱歉我错过了晚餐，”我说，“我头疼。”

“夏天的每个晚上都有晚餐。”

“你睡不着？”

“哦，你知道，”卡丽挠了挠她的脖子，“埃德不在身边，我睡不着。是不是很可笑？”

“不。”

“我开始闲逛，这是很好的运动。你看到过约翰尼没？”

“半夜没有。”

“有时我起来时，他就起来了。你看见他没？”

“你可以看看他的灯是否亮着。”

“威尔做了噩梦，”卡丽说，“他尖叫着醒来，我没法继续睡觉。”

我在运动衫里颤动了一下。“你要手电筒吗？”我问，“门里有一个。”

“哦，不。我喜欢黑暗。”

她又一次疲惫地往山上走。

30

妈妈和外公在新克莱尔蒙特的厨房。我透过滑动玻璃门看到了他们。

“你起得好早，”我进来时她说，“感觉好些了？”

外公穿着格子睡袍。妈妈穿着饰有粉红小龙虾图案的太阳裙。她在做浓咖啡。“你想吃烤饼吗？厨师还做了培根，都在电热屉里。”她穿过厨房，狗们跟着进入屋内。波什、格伦德尔和波皮摇着尾巴，口水直流。妈妈弯下腰用湿布擦它们的爪子，然后心不在焉地擦去地板上的泥爪印。它们傻傻地、惬意地坐着。

“法蒂玛呢？”我问道，“菲利普王子呢？”

“它们不在了。”妈妈说。

“什么？”

“对她好点。”外公说。他转向我，“它们前阵子死了。”

“它们两个？”

外公点点头。

“对不起，”我在餐桌前他旁边坐了下来，“它们痛苦吗？”

“时间不长。”

妈妈端了盘山莓烤饼和培根到桌上。我拿起一块烤饼，涂上黄油和蜂蜜。“她过去是个金发小女孩，完全是辛克莱家的人。”外公对妈妈抱怨道。

“你来看我们时，我们说起过我的头发，”我提醒他，“我没指望你喜欢它。外公们从不喜欢染发。”

“你是家长。你应该让米伦把头发变回原来的样子，”外公对妈妈说，“过去在这个地方到处乱跑的金发小女孩们怎么了？”

妈妈叹了口气，“我们长大了，爸爸，”她说，“我们长大了。”

31

赠送：童年的画，植物版画。

我从温德米尔拿出洗衣篮，往卡德唐走。米伦跳来跳去，在门廊碰到了我。“在岛上的感觉真棒！”她说，“真不敢相信我又在这里。”

“你去年夏天就在这里。”

“那不一样。不像我们过去那么悠闲恬静。去年他们在新克莱尔蒙特施工。大家都闷闷不乐，我一直盼着你来，可你没来。”

“我跟你说过我去了欧洲。”

“哦，我知道。”

“我给你写了很多邮件。”我有些责备地说。

“我讨厌邮件！”米伦说，“我都读了，但你不能因为我没有回复而生气。那就像家庭作业，打字，愚蠢地盯着手机或电脑。”

“你收到我送给你的娃娃了吗？”

米伦搂住我。“我十分想念你。你甚至不会相信我对你的想念有多深。”

“我把那个芭比娃娃寄给你了。有长头发的那个，我们过去为它吵过架。”

“奶油糖果公主？”

“嗯。”

“奶油糖果公主令我着迷。”

“你用它打过我。”

“你应得的！”米伦欢快地跳来跳去，“它在温德米尔吗？”

“什么？不。我用包裹寄出了，”我说，“冬天的时候。”

米伦看着我，皱起眉头。“我没有收到，卡登丝。”

“有人签收了包裹。你妈妈做了什么，没打开就塞进了壁橱？”

我在开玩笑，但米伦点了点头。“也许。她有强迫症，譬如，她一遍又一遍地擦自己的手。也让塔夫脱和双胞胎这么做。就像天堂有块特别的地方是给有一尘不染厨房的人准备的。并且她喝太多。”

“妈妈也是。”

米伦点头。“我看不下去了。”

“昨天晚上的晚餐我错过什么了吗？”

“我没有去。”米伦走向从卡德唐通往小海滩的木板步道。我跟在她后面。“我说过这个夏天我不会去。为什么你当时没有过来这里？”

“我病了。”

“我们都知道你有偏头痛，”米伦说，“姨妈们一直谈论这事。”

我退缩了下。“别为我难过，好吗？永远也不要。这让我浑身起鸡皮疙瘩。”

“昨天晚上你没有吃药吗？”

“药物让我失去了知觉。”

我们到达小海滩。我们两人光脚在湿润的沙地上走。米伦触到了一只死去多时的螃蟹的壳。

我想告诉她我的记忆出了问题，我得了创伤性脑损伤。我想问她第十五个夏天发生的一切，让她告诉我妈妈不想谈或不知道的那些故事。但是米伦在那里，那么欢快。我不想让她对我生出更多的同情。

同时，我仍然为她没有回复我的邮件，没有收到那只愚蠢的芭比娃娃感到生气，虽然那不是她的错。

“约翰尼和盖特在红门还是在卡德唐睡觉？”

“卡德唐，老天，他们是懒虫，就像跟小妖精住在一起。”

“那么让他们搬回红门。”

“没门，”米伦笑了，“还有你——别待在温德米尔了，好吗？你搬来跟我们一起住吧？”

我摇摇头。“妈妈不同意。今天早上我问过她了。”

“得了吧，她一定会同意的。”

“自从我生病后，她就是这个样子。”

“可那都快两年了。”

“是啊。她看着我睡觉。她还告诫我要跟外公和小家伙们加强联系。我必须与这个家连接在一起。挂上笑容。”

“净是瞎扯。”米伦给我看她捡到的一把紫色小石头，“给你。”

“不，谢谢。”我不想要我不需要的东西。

“请拿走吧，”米伦说，“我记得小时候，你总是寻找紫色的石头。”她把手伸到我面前，手心向上，“我想要对奶油糖果公主事件做些补偿，”她眼眶中含着泪水，“还有邮件，”她补充说，“我想给你一些东西，卡迪。”

“那好的。”我说，捧起双手，让米伦把石头倒进我的手掌。我把石头放进上衣前侧口袋。

“我爱你！”她叫道。接着她转过身对大海喊道，“我爱我表姐卡登丝·辛克莱·伊斯门！”

“表演得过火了。”这是约翰尼的声音，他光脚轻轻从台阶上走下来，身着条纹法兰绒棉布睡裤。他戴着广角太阳镜，鼻子上抹着白色防晒霜，像个救生员。

米伦的脸色一沉，但只是暂时。“我在表达我的感情，约翰尼。一个活生生的人不正是这样吗，是吧？”

“好的，活生生的人，”他说，轻轻地打她的肩，“但没必要大清早就叫这么大声。我们还有一整个夏天。”

她伸出下嘴唇，“卡迪只在这里待四个星期。”

“大早上我不想跟你吵，”约翰尼说，“我还没有喝茶呢，”他弯下腰看了看我脚边的篮子。“里面是什么？”

“植物版画，还有我的一些旧画。”

“怎么会在这里？”约翰尼在一块石头上坐下来，我坐在了他旁边。

“自从九月份以来，我一直在赠送我的东西，”我说，“记得我把条纹围巾寄给你了吧？”

“哦，是的。”

我说起我把东西赠送给能用得上的人们，为它们寻找合适的家。我谈论慈善，对妈妈的物质主义表示怀疑。

我想要约翰尼和米伦理解我。我不是要人怜悯，情绪不稳，患有古怪的疼痛综合征的人。我的生活自己做主。我依据我的原则做事。我采取行动，并且做出牺牲。

“你不想拥有什么东西？”约翰尼问我。

“比如说？”

“哦，我一直想要东西。”约翰尼边说，边伸开手臂比画，“一辆车。电子游戏。昂贵的毛呢大衣。我喜欢表，它们那么老派。我想要真正的艺术品来装饰我的墙，我一百万年里也不可能拥有的名人的画作。我在面包店橱窗看到的花式蛋糕。毛衣、围巾、带条纹的羊毛物品，大体如此。”

“或者你会想要小时候画的美丽的画，”米伦说着跪在洗衣篮旁边，“充满感情的东西，”她拿起外婆和金毛猎犬的那张蜡笔画，“看，这个是法蒂玛，这个是菲利普王子。”

“你能分辨出来？”

“当然。法蒂玛有粗短的鼻子和宽宽的脸。”

“天啊，米伦。你真多情。”约翰尼说。

32

我沿着人行道朝新克莱尔蒙特走去，听到盖特叫我的名字。我转身，他正朝我跑来，穿着蓝色长裤，没有穿衬衫。

盖特。我的盖特。

他会成为我的盖特吗？

他在我面前停了下来，呼哧呼哧喘着粗气。他的头发竖起，凌乱不堪。他的腹部肌肉层叠凸现。他看上去比穿着泳衣还裸露得多。

“约翰尼说你在小海滩，”他气喘吁吁地说，“我先去了那儿找你。”

“你刚睡醒吗？”

他擦了擦自己的脖子，低头看了看身上穿的衣服。“可以这么说。我想赶上你。”

“为什么？”

“我们去环道吧。”

我们前往环道，像小时候那样，盖特在前面，我在后面。我们爬上一座矮山丘的山顶，再向后拐入员工楼后面，来到船库附近，马撒葡萄园港口映入眼帘。

盖特突然转身，我差点撞到他，在我退后之前，他抱住了我。他把我拉到他胸前，脸埋在我的脖子里。我用裸露的胳膊环抱住他的身体，我的手腕抵住了他的脊柱。他很暖和。

“昨天我没有拥抱你，”盖特轻声说，“大家都拥抱你了，除了我。”

触碰他感觉既熟悉又陌生。

我们以前来过这里。

我们以前从没有来过这里。

我们就这样待了一会儿，几分钟，也许几小时。

抱着盖特我感到十分开心。耳边传来海浪的声音和他的呼吸声。非常高兴他想在我身边。

“你记得那次我们一起来这里吗？”他问我，头仍埋在我的脖子里，“我们在那块平坦的岩石上睡着了？”

我往后退，因为我不记得。

我恨这该死的破脑袋，一直以来的生病，我变得多么不堪。我恨我的美貌不再，没法上学，没法运动，对我母亲残忍。我恨自己过了两年后还想他。

也许盖特想和我在一起。也许。不过他找我更可能是为了告诉我两年前他离开我，没有任何错。他想要我告诉他我没有生气。他是个好人。

然而我连他到底对我做了什么都不知道，如何原谅他？

“不，”我回答道，“我忘了。”

“我们——你和我——那是一个重要的时刻。”

“或许吧，”我说，“我不记得了。显然最终我们之间没发生什么特别重要的事情，是吧？”

他看着自己的手。“嗯。对不起。我刚刚状态不好。你生气了吗？”

“我当然生气，”我说，“消失了两年。从不打电话，从不回信，从不处理，让事情越来越糟。如今你又来了，喃，‘我还以为再也见不到你了’，握住我的手，‘每个人都抱你了，除了我’，半裸着在环道行走。状态实在不好，盖特。如果那是你想用的词。”

他的脸沉了下来。“听你这么一说，实在是糟糕。”

“是啊，哎，这就是我的看法。”

他揉擦了下自己的头发。“我把一切都搞砸了，”他说，“如果我请你重新开始，你会怎么说？”

“老天，盖特。”

“什么？”

“问问看。如果你真的问，别担心我会怎么说。”

“好，我问了。我们能重新开始吗？拜托，卡迪？用完午饭后，我们重新开始吧。会很美妙。我会说些有趣的话，你会笑。我们可以去追逐怪兽。我们会乐于见到对方。我保证，你会觉得我很棒。”

“这是一个不小的承诺。”

“好吧，也许没那么大，至少我不会再状态不佳。”

“为什么说状态不佳？为什么不实话实说？不顾及他人、令人费解、老于世故？”

“老天。”盖特焦虑得上蹿下跳。“卡登丝。我真的需要重新开始。这样下去会从状态不佳到狗屎。”他跳起来，蹬着腿，就像个愤怒的小男孩。

我笑了起来。“好的，”我告诉他，“重新开始。午饭之后。”

“好，”他说着不再跳了，“午饭之后。”

我们盯着对方看了一会儿。

“我现在要走了，”盖特说，“别介意。”

“好的。”

“跑起来更有利于重新开始，因为走路显得难看。”

“我说了好的。”

“那么，好的。”

他跑开了。

33

一小时后，我去新克莱尔蒙特吃午饭。我知道昨晚我错过晚餐后，妈妈不会再容忍我的缺席。在厨师把饭菜摆上桌，姨妈们召集小家伙的时候，外公带我参观了这栋房子。

这个地方十分漂亮。闪亮的木地板，巨大的窗户，一切离地面很近。克莱尔蒙特的大厅过去从地板到天花板摆着黑白家庭照片，以狗为主题的画、书架以及外公收集来的《纽约客》漫画。新克莱尔蒙特的大厅一边是玻璃，另一边是空白。

外公打开楼上四个客房的门，里面全都只有床和低矮宽阔的梳妆台。阳光从百叶窗透进来。床罩上没有图案，它们是深浅各不相同的简单雅致的蓝色或棕色。

小家伙们的房间有些生气。塔夫脱的地板上有个爆丸竞技场，一个足球，有关巫师和孤儿的书。利伯蒂和邦妮带来了杂志和 MP3 播放器。邦妮有成堆关于幽灵猎人、通灵人和危险精灵的书。她们的梳妆台上塞满了化妆品和香水瓶。角落里放着网球球拍。

外公的卧室比别人的要大，看得到的景色最美。他带我进去，让我看浴室，沐浴器上有把手。老人用把手，这样他不会摔倒。

“你的《纽约客》漫画呢？”我问。

“装潢师做出的决定。”

“那些枕头呢？”

“什么？”

“你有那么多枕头，上面绣着狗。”

他摇摇头。

“你留着鱼吗？”

“什么，箭鱼等等？”我们下楼梯到一楼。外公行动缓慢，我在他身后。“这栋房子我重新翻修了，”他简单说道，“过去的生活已经一去不复返了。”

他打开书房的门，书房和房子的其他地方一样简朴。一台笔记本电脑放在大桌子中间。一扇大窗户可以俯瞰日式花园。一把椅子。一面装了架子的墙，上面空无一物。

干净开阔但是并不简陋，因为所有东西都是豪华的。

外公更像妈妈，而不是我。他通过在一栋新建的房子上花钱抹去了旧日的生活。

“那个年轻人呢？”外公突然问道，脸上了无表情。

“约翰尼？”

他摇摇头。“不，不。”

“盖特？”

“是的，就是那个年轻人。”有一会儿他紧抓住桌子，似乎快要昏倒。

“外公，你还好吧？”

“哦，很好。”

“盖特和米伦、约翰尼在卡德唐。”我告诉他。

“有一本书我答应要给他的。”

“你大部分的书不在这里。”

“别再说什么东西不在这里！”外公突然竭力喊道。

“你还好吧？”卡丽姨妈站在书房门口问道。

“我很好。”他说。

卡丽看了我一眼，抓住外公的手。“好了。吃午饭吧。”

“昨晚你回去睡觉没？”我们往厨房走去时，我问姨妈，“那时约翰尼起来了吗？”

“我不知道你在说什么。”她说。

34

外公的厨师购物并准备餐饭，不过姨妈们拟订所有的菜单。今天餐厅里有冻烧鸡、西红柿罗勒沙拉，卡门贝干酪、脆皮白面包棒和草莓柠檬水。利伯蒂给我看一本杂志里可爱男孩的照片。然后又指给我看另一本杂志里的服饰照片。邦妮在读一本书，名为《集体幽灵：事实与虚构》（*Collective Apparitions : Fact and Fiction*）。塔夫脱和威尔想要我带他们漂流——开着小汽艇，他们漂在后面的内胎上。

妈妈说我不能在吃药后驾船。

卡丽姨妈说那没有关系，因为威尔不可能去漂流。

贝丝姨妈说她表示同意，因而塔夫脱问都别想来问。

利伯蒂和邦妮问她们能否去漂流。“你总是允许米伦去，”利伯蒂说，“你知道这是真的。”

威尔弄洒了他的柠檬水，浸湿了一块脆皮白面包棒。

外公的腿打湿了。

塔夫脱抓住那块湿面包棒，拿它打威尔。

妈妈把脏东西擦掉，贝丝去楼上给外公拿干净的裤子。

卡丽斥责男孩们。

吃完饭后，塔夫脱和威尔躲进起居室，免得帮忙打扫。他们在外公新的皮沙发上疯狂乱跳。我跟了进去。

威尔矮小、肤色白皙，像约翰尼。头发几乎都是白的。塔夫脱高一些，非常瘦、金色头发，长满雀斑，睫毛又长又黑，嘴里戴有矫正架。“你们两个，”我说，“去年夏天过得怎么样？”

“你知道怎么在龙谷游戏中得到灰烬龙吗？”威尔问道。

“我知道怎么得到烧焦的龙。”塔夫脱说。

“你可以用烧焦的龙得到灰烬龙。”威尔说。

哎。十岁的孩子。“得啦。去年夏天。”我说，“告诉我。你们打网球了吗？”

“当然。”威尔说。

“你们去游泳了吗？”

“是啊。”塔夫脱说。

“你们跟盖特和约翰尼去划船了吗？”

他们都不再跳了。“没有。”

“盖特说起过我吗？”

“我不能谈论你落水的事情，”威尔说，“我向彭妮姨妈保证过。”

“为什么？”我问道。

“那会让你头痛得更厉害，我们必须避开这个话题。”

塔夫脱点点头。“她说要是我们让你头痛得更厉害，她会捆住我们的趾甲把我们吊起来，还要拿走 iPad。我们应当做些快乐的事情，而不要犯傻。”

“我问的不是我的事故，”我说，“我问的是我去欧洲的那个夏天。”

“卡迪？”塔夫脱碰了碰我的肩。“邦妮在你的卧室看见了药片。”

威尔往后退，在沙发另一头的扶手上坐了下来。

“邦妮翻过我的东西？”

“还有利伯蒂。”

“天哪。”

“你说过你不吸毒，可你的梳妆台上有药片。”

“叫她们别去我的房间。”我说。

“如果你吸毒，”塔夫脱说，“有些事情你需要知道。”

“什么？”

“毒品不是你的朋友，”塔夫脱神情严肃，“毒品不是你的朋友，人们才是你的朋友。”

“哦，我的天，你们能告诉我去年夏天你们做了什么吗，小家伙们？”

威尔说，“塔夫脱和我想玩愤怒的小鸟。我们不想再跟你说了。”

“好吧，”我说，“去吧，没事。”

我走到门廊上，看着男孩们沿着小路跑向红门。

35

午饭过后，我来到卡德唐，里面的所有窗户都开着。盖特用古老的 CD 播放器播放音乐。我以前画的蜡笔画用磁铁吸在冰箱上：爸爸那幅在上面，外婆和金毛猎犬的那幅在最下端。我的版画贴在厨房碗柜上。一架梯子和一个礼品纸包好的大盒子放在大房间的当中。

米伦将一把扶手椅推过地板。“我从来就不喜欢我母亲对这个地方的布置。”她解释道。

我帮助盖特和约翰尼把家具移来挪去，直到米伦满意。我们取下贝丝的水彩风景画，卷起地毯。我们从小家伙们的房间找来有趣的玩意。等完工后，这个大房间里有小猪存钱罐、拼布床单、一堆堆童书和一只像猫头鹰的灯。从礼品盒取下来的闪光丝带在天花板纵横交错。

“你重新装饰，贝丝会生气吗？”我问道。

“我担保这个夏天她不会再踏足卡德唐。好多年来，她一直试图离开这个地方。”

“你这么说是什么意思？”

“哦，”米伦满不在乎地说道，“你知道的。唠唠叨叨，最不喜欢的女儿，唠唠叨叨，厨房真是糟糕。为什么外公不重修一下？等等。”

“她问过他吗？”

约翰尼异样地盯着我。“你不记得？”

“她的记忆一团糟，约翰尼！”米伦喊道，“第十五个夏天的事情她一半都不记得。”

“她不记得？”约翰尼说，“我以为——”

“不，不，现在闭嘴，”米伦厉声说道，“你没有听到我跟你说过的话吗？”

“什么时候？”他看上去茫然若失。

“前几天的一个晚上，”米伦说，“我把彭妮姨妈说过的话告诉你了。”

“这样。”约翰尼说着将一个枕头朝她扔过去。

“这很重要！你怎么没有留意这件事？”米伦看上去像要哭了。

“对不起，好吧？”约翰尼说，“盖特，你知道卡登丝不记得第十五个夏天的大部分事情吗？”

“我知道。”他说。

“看，”米伦说，“盖特当时在听。”

我的脸发热，我看着地板。一瞬间没人说话。“头撞得非常狠时，失去一部分记忆是正常的，”我最后说道，“我母亲解释过吗？”

约翰尼紧张兮兮地笑了起来。“真惊讶妈妈告诉了你，”我继续说，“她讨厌谈论这件事。”

“她说你应该多休息，慢慢会记起来的。姨妈们都知道，”米伦说，“外公知道。小家伙们。员工。显然岛上的所有人都知道，除了约翰尼。”

“我知道，”约翰尼说，“我只是不知道事情的全貌。”

“别软弱，”米伦说，“现在真的不是时候。”

“没事，”我对约翰尼说，“你不软弱。你只是状态不好。我相信从现在开始你会进入最佳状态。”

“我状态一向最佳，”约翰尼说，“只不过不是米伦想要的那种最佳。”

我说“状态不好”这个词时，盖特笑了，拍了拍我的肩。

我们重新开始了。

36

我们打网球。约翰尼和我赢了，但不是因为我的技术还行。他是个优秀的运动员，而米伦更喜欢击球，然后欢呼雀跃，丝毫不在意球是否回来了。盖特一直笑她，于是他连连失球。

“欧洲怎么样？”我们返回卡德唐的路上，盖特问道。

“我父亲吃了乌贼墨。”

“还有呢？”我们抵达院子，把球拍扔到门廊上，在草地上平躺下来。

“老实说，我没法告诉你太多，”我说，“知道我爸爸去古罗马圆形剧场时，我做了什么吗？”

“什么？”

“我躺在旅馆浴室里，脸贴着瓷砖，盯着蓝色意大利马桶的底座。”

“马桶是蓝色的？”约翰尼说着坐了起来。

“只有你看到蓝色的马桶比看到罗马的风景更兴奋。”盖特抱怨道。

“卡登丝。”米伦说。

“什么？”

“不要介意。”

“什么？”

“你让我们不要为你难过，但你又跟我们讲了有关马桶底座的故事，”她脱口而出，“这实在让人同情。我们应该说什么呢？”

“还有，去罗马让我们嫉妒，”盖特说，“我们没人去过罗马。”

“我想去罗马！”约翰尼说，再次躺下，“我太想去看蓝色的意大利马桶了。”

“我想去看卡拉卡拉[1]的澡堂。”盖特说，“品尝每种味道的意大利冰激凌。”

“去吧。”我说。

“没那么简单。”

“好吧，不过你可以上大学期间或者大学毕业后去。”我说。

盖特叹了口气，“我只是说说，你去了罗马。”

“我希望当时你在那里。”我告诉他。

37

“你刚才在网球场吗？”妈妈问我，“我听见了球的声音。”

“混时间罢了。”

“你好久没打网球了。真是太棒了。”

“我发球不好。”

[1] 卡拉卡拉，Caracalla，罗马皇帝（198—217）。——译者注

"真高兴你又开始打球。如果你明天想和我打，尽管说。"

她想错了。打了一个下午的球，并不意味着我又开始打网球，我没能力，也不想与妈妈打球。她会穿上网球裙，鼓励我，提醒我，守在我旁边，直到我对她冷酷起来。"再说吧，"我说，"我可能扭伤了肩。"

我们在日式花园里面吃晚餐。我们成群围在几张小桌子旁边，观看八点钟的落日。塔夫脱和威尔从大浅盘里抓起猪排用手吃起来。

"你们两个是野兽。"利伯蒂说，皱起鼻子。

"你是什么意思？"塔夫脱说。

"有一个东西叫餐叉。"利伯蒂说。

"有一个东西叫你的脸。"塔夫脱说。

约翰尼、盖特和米伦在卡德唐用餐，因为他们不是病人，他们的母亲也没那么管束。妈妈甚至不让我跟大人们坐在一起。她让我跟表弟妹们单独坐一桌。

他们都在笑，彼此攻击，含着满嘴食物说话。我不再听他们说话，而是看向妈妈、卡丽和贝丝，她们围在外公旁边。

现在我记起了一个晚上。肯定是在我出事之前两个星期左右。七月初。我们全坐在克莱尔蒙特草地上的长桌子旁。门廊上点着香茅蜡烛。小家伙们吃完了汉堡，在草地上做侧手翻。其他人吃着罗勒酱烤剑鱼。有黄番茄沙拉、绿皮西葫芦和帕尔马干酪外皮炖锅菜。桌子底下盖特和我的腿贴在一起。我快乐得头晕目眩。

姨妈们拨弄着自己的食物，小家伙们大喊大叫，她们却沉默而拘谨。外公向后靠，十指交叉放在肚子上。“你们认为我应该翻修一下波士顿的房子？”他问道。

一阵沉默。

“不，爸爸，”贝丝第一个说话，“我们爱那栋房子。”

“你老是抱怨起居室里有风。”外公说。

贝丝看了眼她的姐妹们。“我没有。”

“你不喜欢室内的装饰风格。”外公说。

“没错。”妈妈挑剔地说道。

“我认为那永不过时。”卡丽说。

“我可以采纳你的建议，你知道，”外公对贝丝说，“你能过来仔细看看吗？告诉我你是怎么想的。”

“我……”

他向前倾身。“我也可以卖掉它，你知道。”

我们都知道姨妈贝丝想要波士顿的房子。她们三姐妹都想要波士顿的房子。那栋房子价值四百万美元，她们就是在那栋房子里长大的。

但只有贝丝住在附近，也只有贝丝有足够多的孩子塞满卧室。

“爸爸，”卡丽急切地说，“你不能卖掉那栋房子。”

“我可以做我想做的事情。”外公说，叉起他盘子里最后一个西红柿，塞进嘴里。“那么，你想要房子保持原样，贝丝，还是想要翻修一下？没人喜欢举棋不定的人。”

“不管你想做出什么改变，我乐于帮忙，爸爸。”

“哦，拜托，”妈妈厉声说道，“昨天你还在说你有多忙，现在你就有时间帮忙翻修波士顿的房子？”

“他请求我们的帮助。”贝丝说。

“他请求你的帮助。你把我们排除在外了，爸爸？”妈妈喝醉了。

外公笑了。“彭妮，放松些。”

“房子问题解决了，我就能放松。”

“你让我们疯狂。”卡丽咕哝道。

“什么？别叽里咕噜。”

“我们都爱你，爸爸，”卡丽大声说，“我知道今年很难熬。”

“如果你们发疯，那是你们自己的选择，”外公说，“冷静点，我不能把房子留给疯子。”

现在看看第十七个夏天的三姐妹。在新克莱尔蒙特的日式花园，妈妈搂着贝丝，贝丝递给卡丽一片莓子饼。

这是一个美好的晚上，我们的确是一个美好的家族。

我不知道什么变了。

38

“塔夫脱有一句座右铭。”我告诉米伦。这是午夜。我们四位说谎者在卡德唐的大房间里玩拼字游戏。

我的膝盖碰到盖特的大腿，虽然我不敢肯定他注意到了。图版上几乎满了。我的大脑疲倦。我没拿到好的字母。

米伦心烦意乱地重新排列自己的字母牌。“塔夫脱有什么？”

“座右铭，”我说，“你知道，就像外公一样，没人喜欢举棋不定的人。”

“永远不要在房间后面就座。”米伦庄重地说道。

“永不抱怨，永不解释。”盖特说，“那是迪斯累利[1]的话，我想。”

“哦，他喜欢那句话。”米伦说。

“还有不接受否定的答案。”我补充道。

“天哪，卡迪！”约翰尼喊道，“你能组个词让我们继续下去吗？”

[1] 英国政治家和作家，两度任首相（1868，1874—1880）。——译者注

“别冲她喊叫，约翰尼。”米伦说。

“对不起，”约翰尼说道，“能请你用红糖和肉桂组成一个该死的拼词吗？”

我的膝盖碰到盖特的大腿。我真的没法思考。我组了一个蹩脚的短词。

约翰尼玩着他的字母牌。

“毒品不是你的朋友，”我宣布道，“这是塔夫脱的座右铭。”

“胡说，”米伦笑道，“他从哪儿听来的？”

“也许他在学校受过反吸毒教育，而且双胞胎搜查了我的房间，告诉他我的梳妆台上都是药片，于是他想确认我不是瘾君子。”

“天哪，”米伦说，“邦妮和利伯蒂只会把事情搞砸。我想她们现在患上了盗窃癖。”

“真的？”

“她们拿走了我妈妈的安眠药和钻石耳环。我不知道她们能在什么地方戴上这副耳环而不被妈妈看到。况且，她们有两个人，耳环只有一副。”

“你跟她们说过没？”

“我试过跟邦妮说，但我帮不了她们。”米伦说着再次重新排列字母牌。“我喜欢座右铭，”她继续说，“一句鼓舞人心的话能帮助人们渡过难关。”

“比如说？”盖特问道。

米伦停顿了下，然后说道：“多一点仁慈。”

听到这句话，我们都沉默了。这句话似乎不容反驳。

接着约翰尼说：“决不要吃比你的屁股更大的东西。”

“你吃过比你的屁股更大的东西？”我问道。

他严肃地点点头。

“好了，盖特，”米伦说道，“你的呢？”

“没有。”

“说嘛。”

“好吧，也许。”盖特低头看着自己的手指甲。“能改变的罪恶，不要急着接受。”

“我同意。”我说。因为我就是这么做的。

“我不同意。”米伦说。

“为什么？”

“人能改变的事情很少。你必须接受世界的现状。”

“不对。”盖特说。

“难道做一个随和平静的人不是更好吗？”米伦问道。

“不。”盖特坚定地说道，“与罪恶对抗更好。”

“别吃小便后的雪，”约翰尼说，“这也是一句金玉良言。”

“总是做你害怕做的事情，”我说，“这是我的。”

“哦，拜托。这句话是谁说的？”米伦厉声说道。

“艾默生，”我答道，“我想。”我拿起一支笔把这句话写在了我的手背。

左边：“总是做”。右边：“你害怕做的事情”。右边的笔迹有点歪。

“艾默生太无趣了。”约翰尼说，从我手中抓过笔在他自己的左手上写道：“不吃小便后的雪”。“看，”他说着抬起手来展示，“这应该管用。”

“卡迪，说真的，我们不应该总是做令自己害怕的事情，”米伦激烈地说，“我们永远不要这样。”

“为什么？”

“你会死，你会受伤。如果你害怕，那就是一个好理由。你应该相信自己的直觉。”

“那么你的人生哲学呢？”约翰尼问她，“做个大笨蛋？”

“没错，”米伦说，“这个以及我之前说过的多一点仁慈。”

39

我跟随盖特上楼，跟随他走过长长的走廊，抓住他的手，把他的嘴唇拉到我的嘴边来。

这是我害怕做的事情，我做了。

他回吻了我。我们的手指相扣，我头晕目眩，他抱住我，一切又清晰美妙起来。我们的吻把世界变为尘土。只有我们两个人，其他的都无关紧要。

接着盖特挣开了。“我不能这么做。”

“为什么？”他的手仍握着我的手。

“不是我不想，而是——”

“我以为我们重新开始了。这难道不是重新开始？”

“我是个烂人，”盖特后退靠住墙，“这场谈话真是陈词滥调。我不知道还有什么可说。”

“解释一下。”

一阵停顿后他说：“你不了解我。”

“解释一下。”我又说了一遍。

盖特把头埋在自己的手里。黑暗中我们两人都靠墙站立。“好吧，这是部分原因，”他最后轻声说道，“你从没见过我妈妈。你从没去过我的公寓。”

没错，我没有在比奇伍德以外的地方见过盖特。

“你觉得你了解我，卡迪，可你只了解来到这儿的我，”他说，“这不是全貌。你不熟悉我那间窗户在风井上的卧室，妈妈的咖喱菜肴，学校里的那些家伙，我们庆祝节日的方式。你只了解在这座岛上的我，这里人人都是有钱人，除了我和那些员工。人人都是白人，除了我、金妮和保罗。”

“金妮和保罗是谁？”

盖特一拳砸在自己的掌心。“金妮是管家，保罗是园丁。他们在这里工作了一个又一个夏天，你却不知道他们的名字。这就是要害所在。”

我羞愧得不行，脸上一阵发烧。“抱歉。”

“可你想过要看全貌吗？”盖特问道，“你懂得吗？”

“你得尝试跟我说下，不然你不会知道，”我说，“我好久没听到你的意见了。”

“你知道对于你的外公来说我意味着什么吗？我一直以来都是什么样的人吗？”

“什么样的人？”

“《呼啸山庄》里的希斯克里夫。你读过这本书吗？”

我摇摇头。

“希斯克里夫是恩肖家收养的吉普赛男孩，他爱上了恩肖家的女儿凯瑟琳，她也爱他——但因为他的出身，她又看不起他。这个家的其他人意见和她一致。”

“我不是那么想的。”

“希斯克里夫不管做什么都不能让恩肖家认为他足够优秀。他不断尝试。他离开，接受教育，成为一位绅士。他们仍然认为他是个野兽。”

“然后呢？”

“因为这本书是个悲剧，希斯克里夫变成了他们认为的那种人，你知道吗？他变得残忍。他身上的恶显现了出来。”

“我听说那本书是个浪漫故事。”

盖特摇摇头。“那些人对彼此糟透了。”

“你是说外公认为你是希斯克里夫？”

“我敢说，他是这么认为的，”盖特说，“可爱外表下的野兽，辜负了他让我每年来他的安稳小岛的好意——辜负了他，居然勾引他的凯瑟琳，他的卡登丝。我的处罚是成为他常在我身上看到的野兽。”

我沉默不语。

盖特沉默不语。

我伸出手触碰他，摸到他薄棉衬衫下面的前臂就让我渴望再吻他。

“你知道可怕的是什么吗？”盖特说，没有看我。“可怕的是结果表明他是对的。”

“不，他不对。”

“哦，是的，他是对的。”

“盖特，等等。”

可他已经走进房间，关上了门。

我独自待在漆黑的过道。

40

从前有位国王，有三个漂亮的女儿。她们快乐地长大，还举行了盛大的婚礼，不过第一个外孙的出生让人失望。小公主生了一个非常小的女孩，她母亲把她放在口袋里，没人注意她。最后，正常大小的外孙出生了，国王和王后完全忘记了那个小不点公主的存在。

这个特小的公主渐渐长大，她几乎日夜不离开自己的小床。她没什么理由起床，她形单影只。

一天，她大着胆子去了王宫图书馆，欣喜地发现书籍这位好陪伴。于是她经常去那里。有天早上，她在读书，一只老鼠出现在桌上。他站得笔直，穿着件丝绒马褂。他的胡须干干净净，毛是棕色的。“你读书的方式跟我一样，”他说，“在书页上来回走动。”他向前一步，深深地鞠了一躬。

这只老鼠的冒险故事令小不点公主深深着迷。他还给她讲述偷人类脚的怪兽和抛弃穷人的神灵的故事。他探索有关宇宙的问题，并不懈地寻找答案。他认为伤口需要关心。反过来，公主给那只老鼠讲童话故事，给他画像素肖像和蜡笔小画。她和他一起大笑，争辩。她生平第一次感到充满活力。

不久他们便如胶似漆。

然而公主把这位求婚者带到家人面前时，她遇到了麻烦。“他只是一只老鼠！”国王轻蔑地叫道，王后惊恐地大叫着从宫殿跑开。事实上，整个王国，上至王室成员，下至仆从，全用怀疑而尴尬的眼光看着这位老鼠求婚者。“他很反常，”人们说，“一个动物假装一个人。”

小不点公主没有犹豫。她和老鼠离开王宫去了远方。在异乡，他们结婚了，给自己建了栋房子，在里面塞满了书和巧克力，从此过上了幸福的生活。

如果你想住在一个人们不怕老鼠的地方，你就必须放弃在王宫的生活。

41

一个巨人挥舞着一把生锈的锯。他边工作边扬扬得意地哼着歌，歌声划过我的前额，进入大脑。

我还有不到四个星期的时间去寻找真相。

外公叫我米伦。

双胞胎在偷安眠药和钻石耳环。

妈妈与姨妈们为波士顿的房子争吵。

贝丝讨厌卡德唐。

卡丽夜间在岛上游荡。

威尔做噩梦。

盖特是希斯克里夫。

盖特认为我不了解他。

也许他是对的。

我吃药、喝水。房间昏暗。

妈妈站在门口看着我。我没有跟她说话。

我在床上待了两天。剧烈的疼痛偶尔减弱。独自一人时，我坐起来在床头上方的那堆纸页上书写。疑问多过答案。

早上我感觉好些了，外公很早就过来温德米尔。他穿着白色亚麻裤和蓝色运动夹克。我身穿短裤和 T 恤，在院子里给狗抛球。妈妈已经到新克莱尔蒙特了。

“我要去埃德加敦，”外公说着抓住波什的耳朵，“你想去吗？如果你不介意一个老人的陪伴。”

“我说不好，”我开玩笑说，“我正忙着玩这些沾满唾液的网球。可以玩一整天。”

“我会带你去书店，卡迪。像过去那样给你买礼物。”

“乳脂软糖如何？”

外公笑了。“当然，乳脂软糖。”

“妈妈让你这么做的吗？”

“不是，”他挠了挠满头的白发，“不过贝丝不放心我一个人开汽艇。她说我会迷失方向。”

“我也不被允许开汽艇。”

“我知道，”他说着举起钥匙，“但是这儿我说了算，不是贝丝和彭妮。”

我们决定去镇上吃早饭。我们想在姨妈们发现我们之前把船开出比奇伍德码头。

埃德加敦是马撒葡萄园上的可爱海滨度假村。去那里花了二十分钟。那儿全是白色尖桩围栏和白色木屋，院子里姹紫嫣红。商店出售旅游物品、冰激凌、昂贵的衣服和古老的珠宝。船只离开港口作钓鱼和观光之旅。

外公似乎恢复了老样子。他乱花钱。在一家窗口摆着凳子的小面包店请我喝浓咖啡、吃羊角面包，然后又想在埃德加敦给我买书。我拒绝这份礼物时，他对我的赠送项目表示不解，但没有谴责我。他让我帮忙给小家伙们挑礼物，给管家金妮选一本花艺设计书。我们在默迪克软糖店下了一个大单：巧克力、巧克力核桃、花生酱和奶油胡桃糖。

漫步画廊时，我们碰到了外公的律师，一个头发花白的矮小家伙，名叫理查德·撒切尔。“那么这位是卡登丝，第一个，”理查德说着摇了摇头，“我听说了不少你的故事。”

“他打理遗产。”外公解释说。

“第一个外孙，”撒切尔说，“那种感觉无可比拟。”

“她还很有头脑，”外公说，“彻彻底底辛克莱家的血统。”

他老是说这些老套的话。“从不抱怨，从不解释。”“不接受否定的答案。”但他把这些话用在我身上时让人受不了。很有头脑？我真正的大脑从医学诊断的方方面面来说已经坏了——并且一半的我来自不忠的伊斯门家族。明年我不会上大学；我放弃了过去参加的所有运动、加入的所有社团；我现在一半时间在服用扑热息痛，我甚至对我的小表弟妹们也不友好。

外公说起我时仍然神采奕奕，并且起码今天他知道我不是米伦。

“她长得像你。”撒切尔说。

“真的吗？除了长得漂亮。”

“谢谢，”我说，“如果你想我完全像你，我得把头发弄成一缕缕的。”

外公笑了。“开船风吹的，”他对撒切尔说，“没有戴帽子。”

“总是乱蓬蓬的。”我告诉撒切尔。

“我知道。”他说。

两个男人握了握手，外公箍住我的胳膊离开画廊。“你的事情他处理得很好。”他告诉我。

“撒切尔先生？”

他点点头。“不过别告诉你妈妈，免得她再次挑起事端。”

42

回家的路上，一段回忆涌上心头。

第十五个夏天，七月初的一个早晨，外公在克莱尔蒙特的厨房做浓咖啡。我在餐桌前吃果酱脆皮白面包吐司。只有我们两个。

“我爱那只鹅。”我说，指着餐具柜上的一尊米色鹅雕像。

“你、约翰尼和米伦三岁的时候，它就在那里了。”外公说，“那年蒂珀和我去了趟中国。”他咯咯笑着说，“她买了很多艺术品。我们有一位向导，一位艺术家。”他走到吐司炉面前，拿起我留给自己的那片面包。

“嘿！”我抗议道。

“嘘，我是外公。如果我想，就可以拿走面包。”他端着浓咖啡坐了下来，往脆皮面包棒上涂黄油。“这位艺术家带我们去了古玩店和拍卖行，”他说，“她说四种语言。你不会注意到她。一个小巧的中国女孩。”

“别说中国女孩了。好吗？”

他没有答理我。“蒂珀买了珠宝，又想到给这儿的房子买些动物雕像。”

“那包括卡德唐的癞蛤蟆吗？”

“当然，象牙癞蛤蟆，”外公说，“我们还买了两只大象。”

“它们在温德米尔。”

“还有红门的猴子，有四只猴子。”

“象牙制品是非法的吗？”我问道。

“哦，有些地方是，但还是搞得到。你外婆喜欢象牙制品。她小时候去过中国。”

“它是大象的长牙吗？”

“象牙或象鼻。”

外公就在那里。他的白发仍然浓密，经年在船上风吹日晒让他的脸沟壑纵横。他粗大的下巴像一个老电影明星。

你搞得到象牙制品，他说。

他的一句座右铭是：不接受否定的答案。

这样子过活似乎非常英勇。让我们追求自己的梦想时，他说这句话。鼓励约翰尼进行马拉松训练，七年级时我没能赢得阅读奖时，他说这句话。谈论他的商业策略，谈起他怎么追到外婆时，他说这句话。“我请求了四次，她才同意。”复述他最喜欢的辛克莱家族的这个传奇故事时，他总这么说，“我让她不胜厌烦，她答应我来封住我的嘴。”

现在，在早餐桌边，看着他吃我的面包，“不接受否定的答案”似乎是一个享有特权的人的态度，他不在乎谁受到伤害，只要他妻子拥有可以在避暑别墅里展出的可爱雕像。

我走过去拿起那只鹅。“人们不应该购买象牙制品，”我说，“这是非法的。那天盖特在读一本有关——”

“别告诉我那小子在读什么，”外公打断道，“我了解情况。我有所有的文件。”

“抱歉，但他让我觉得——”

“卡登丝。”

“你可以把这些雕像拿去拍卖，将所得的钱捐给野生动物保护学会。”

“那我就没有这些雕像了，它们对蒂珀来说很珍贵。”

“可是——”

外公厉声说：“你无权指挥我该如何用自己的钱，卡迪。那不是你的钱。”

“好的。”

“你没权力告诉我如何处理我自己的东西，明白吗？”

“嗯。”

“永远不要。”

“好的，外公。”

我想抓住那只鹅把它扔到房间对面。

砸到壁炉时它会破吗？会碎吗？

我紧握双拳。

这是外婆蒂珀死后我们第一次谈到她。

外公把船靠在码头上系好。

“你想念外婆吗？”我们朝新克莱尔蒙特走去的路上，我问道，“我想念她。我们从没谈起过她。”

“我的一部分死去了，”他说，“最好的那部分。”

“你真的这么认为？”我问。

“关于这件事情，我要说的就是这些了。”外公说。

43

我在卡德唐的院子里找到了说谎者们。草地上散乱放着网球拍、饮料瓶、食品包装纸和沙滩浴巾。他们三个躺在棉毯上，戴着太阳镜，吃着薯片。

“感觉好些了吗？”米伦问道。

我点点头。

“我们想念你。”

他们在身上涂了婴儿润肤油。草地上放着两瓶。“你们不怕被晒伤吗？”我问。

“我不再相信防晒霜了。”约翰尼说。

“他认为科学家们腐败了，整个防晒霜行业是在骗钱。”米伦说。

“你见过阳光中毒吗？”我问道，“皮肤简直在冒泡？”

“这是个愚蠢的想法，”米伦说，“我们不过是烦闷无趣罢了。”不过她在说话的时候，往手臂上涂了厚厚一层婴儿油。

我在约翰尼身边躺了下来。

我打开一袋烤薯片。

我盯着盖特的胸部。

米伦大声朗读一本有关珍·古德的书。

我们听着我的 iPhone 播放的音乐，扬声器并不响亮。

“为什么你不再相信防晒霜？”我问约翰尼。

“那是一个阴谋，”他说，“出售大量没人需要的防晒霜。”

“啊哈。”

“我不会晒伤的，”他说，“你瞧着吧。”

“那你为什么还要抹婴儿油？”

“哦，那不是实验的一部分，”约翰尼说，“我就是想尽可能一直滑溜溜的。”

盖特在厨房找到了我，我正在寻找食物。没多少食物。“上次我见到你时，状态又不佳，”他说，“几天前在过道的时候。”

“是啊。”我的手在颤抖。

“对不起。”

“没关系。”

“我们能重新开始吗？”

“我们不能每天重新开始，盖特。”

“为什么不行？”他跳起来，坐在长台面上，“也许这是个充满第二次机会的夏天。”

“第二次，当然。不过那之后就变得荒谬了。”

“正常点便可以，”他说，“至少在今天。让我们假装我不是个烂人，假装你没有生气，让我们表现得像朋友，忘记发生的事情。”

我不想假装。

我不想做朋友。

我不想忘记。我在尝试回忆。

“只要一两天，直到一切再次恢复正常。”看出了我的迟疑，盖特说道，“我们就这么一直坚持到一切都不再是什么大事的时候。”

我想知道一切，理解一切；我想抱紧盖特，手在他身上游移，永远不让他离开。但也许这是我们能开始的唯一方式。

正常点，现在。马上。

你是正常的，你做得到。

“我已经学会该怎么做。”我说。

我把外公和我在埃德加敦买的那包软糖递给他，看见巧克力时他兴奋得嘴角上扬，这一幕强烈地扣动了我的心。

44

第二天米伦和我未经允许便驾驶小汽艇去了埃德加敦。

男孩们不想来。他们去划皮艇了。

我驾船，米伦把手放在尾流里，让汽艇拖着向前。

米伦穿得不多：雏菊印花比基尼上装和牛仔布超短裙。她沿着埃德加敦的圆石人行道往前走，谈论着德雷克·洛格赫德以及与他进行“性交”的感受。她每次都用这个说法；她的感受与玫瑰的香味、起伏不定的情绪和激情的迸发有关。

她还谈到了她想为在波莫纳的大一学年买的衣服、这个夏天她想看的电影和要做的事情，譬如在马撒葡萄园找一个骑马的地方以及再次开始做冰激凌。老实说，她喋喋不休地说了半个小时。

我希望拥有她的人生。一个男朋友，各种计划，在加利福尼亚的大学。米伦就要进入她灿烂的未来，而我却要回到狄金森学院，再度过一年满是冰雪的窒息日子。

我在默迪克店买了一小包软糖，虽然昨天还剩下一些。我们在一个阴凉的长椅上坐了下来，米伦还在说个不停。

又一段回忆涌上心头。

第十个夏天，米伦、塔夫脱和威尔坐在埃德加敦我们最喜欢的蛤蜊餐厅的台阶上。男孩们拿着塑料彩虹玩具纸风车。塔夫脱的脸上沾着他之前吃过的软糖。我们在等贝丝，因为米伦的鞋在她那里。没有鞋，我们没法进入室内。

米伦的脚很脏，趾甲涂成了蓝色。

我们等了一会儿，这时盖特从街区不远处的店出来，胳膊下夹着一堆书。他以最快的速度朝我们跑来，似乎着急忙慌地想赶上我们，尽管我们坐着没动。

他突然停了下来，最上面的那本书是萨特的《存在与虚无》(*Being and Nothingness*)。他手背上仍然写着那句话。来自外公的一条建议。

盖特愚蠢滑稽地欠身，递给我最下面的那本书：杰克琳·莫里亚蒂的一本小说。我整个夏天都在读她的书。

我翻到扉页，上面题了词。**送给卡迪，谨致一切。一切。盖特。**

“我记得等你的鞋，我们好进入蛤蜊餐厅。”我告诉米伦。她现在不再说话，期待地看着我。“玩具纸风车，”我说，“盖特给我一本书。”

“这么说你的记忆在恢复，”米伦说，“太好了！”

“姨妈们为房产争吵。”

她耸了耸肩。“有一点儿。”

“还有外公和我，我们对他的象牙雕像有过争论。”

“是啊。我们当时还说过这件事。”

“跟我说说吧。”

“什么？”

“为什么我出事后盖特消失了？”

米伦缠绕起一缕头发。“我不知道。”

“他又跟拉克尔在一起了吗？”

“我不知道。”

“我们吵架了吗？我做了错事吗？”

“我不知道，卡迪。”

“几天前他对我生气，因为我不知道员工的名字，没有见过他在纽约的公寓。”

一阵沉默。“他生气有道理。”米伦最后说道。

“我做了什么？”

米伦叹了口气。“你没法弥补。”

“为什么？”

米伦突然开始哽咽，透不过气来，就像她要呕吐，她弯下腰，她的皮肤湿润苍白。

“你还好吗？”

“不。”

“我能帮忙吗？”

她没有回答。

我给她一瓶水。她接过去，慢慢喝起来。“我做了太多事。我需要回到卡德唐。现在。”

她的目光呆滞。我伸出手。她的皮肤摸上去湿漉漉的，她似乎站不稳。我们默默走回小汽艇停靠的港口。

妈妈从没注意到汽艇不在，但我给塔夫脱和威尔那包软糖时，她看到了。

她不停地发着牢骚，她的告诫没有趣味。

没有她的允许我不应该离开小岛。

没有成人的监督，我不应该离开小岛。

我不应该服药后开机动船。

我不能这么愚蠢，不是吗？

我说了我母亲想要听的“对不起”，接着我跑到温德米尔写下我记起来的一切——蛤蜊餐厅、玩具纸风车、木制台阶上米伦的脏脚，盖特给我的那本书——写在我床上方的方格纸上。

45

我在比奇伍德的第二个星期开始了，我们发现了一个好去处——卡德唐的屋顶。爬上去很容易，我们以前从没爬过，因为要穿过贝丝姨妈的卧室窗户。

夜间的屋顶冷得要命，不过白天从那里可以一览岛上的美景，以及远处的海。我能看到从卡德唐到新克莱尔蒙特和它的花园周围的树。我甚至能看到房间里面，一楼的很多房间有落地窗。还能看到红门的一部分，另一个方向，可以看到温德米尔以及再远处的海湾。

那天下午我们把食物摊放在旧的野餐垫上。我们吃了装在小木盒子里的葡萄牙甜面包和柔软奶酪。绿卡纸板上的浆果。瓶装的冰镇起泡柠檬水。

我们决定每天来这里。整个夏天。这个屋顶是世上最好的地方。

“如果我死了，”我们观看着景致，我说道，“我是说，如果我死了，把我的骨灰撒在小海滩的水里。你们想念我时，就能爬到这儿来，往下看，想着我多么棒啊！”

“或者我们可以在水中游泳，”约翰尼说，“如果我们想你想得太苦。”

“哇。”

“你想融入小海滩。”

“我只是说说，我喜欢那里。那是一个存放我骨灰的好地方。”

“是啊，”约翰尼说，“不错。”

米伦和盖特不发一言，吃着装在蓝色陶瓷碗的榛子味巧克力。“这个话题令人不快。”米伦说。

“还好。”约翰尼说。

“我不想把我的骨灰撒在那里。”盖特说。

“为什么不？”我说，“我们可以一起待在小海滩里。”

“小不点们会在水里游泳！”约翰尼叫道。

“你让我觉得恶心。”米伦说。

“这跟我在那里小便没什么不一样。”约翰尼说。

“别说了。”

“哦，得啦，人人都在那里小便。”

“我没有。”米伦说。

“没错，”他说，“如果我们在里面小便了那么多年后，小海滩的水现在还不是尿，那么一点骨灰也不会对它有损。”

“你们计划过自己的葬礼吗？”我问道。

“你这么说是什么意思？”约翰尼皱起鼻子。

“要知道，在《汤姆·索亚历险记》（*Tom Sawyer*）里，大家都认为汤姆、哈克和那个谁来着？”

"乔伊·哈波。"盖特说。

"对，他们认为汤姆、哈克和乔伊·哈波死了。男孩们去了自己的葬礼，听到了镇民对他们的所有美好回忆。读过后，我总是思考起自己的葬礼。譬如，要什么样的鲜花，我想把自己的骨灰放在哪里。还有悼词，说着我有多么卓越杰出，获得了诺贝尔奖和奥运会冠军。"

"你因为什么拿到了奥运会冠军？"盖特问道。

"也许手球。"

"奥运会有手球项目吗？"

"有。"

"你打过手球吗？"

"还没有。"

"你最好开始打。"

"大多数人计划自己的婚礼，"米伦说，"我常常计划自己的婚礼。"

"男人们不对婚礼做计划。"约翰尼说。

"如果我跟德雷克结婚，我要弄到所有黄色的花朵，"米伦说，"到处都是黄色的花朵。一件黄色的裙子，跟一件平常的婚纱一样，不过是黄色的。他要系上一条黄色宽腰带。"

"他得非常非常爱你才会系上一条黄色宽腰带。"我告诉她。

“嗯，”米伦说，“但德雷克会这么做的。”

“我来跟你们说说我的葬礼上不要有什么，”约翰尼说，“我不要一群根本不认识我的，纽约艺术界的那种人在无聊的接待室无所事事。”

“我不想要宗教人士谈论我不信的上帝。”盖特说。

“或者一群女孩假装难过，然后在浴室涂上润唇膏，整理她们的头发。”米伦说。

“天啊，”我挖苦道，“你们说得好像葬礼一点也不好玩。”

“真的，卡迪，”米伦说，“你应该计划下你的婚礼，而不是葬礼。别胡思乱想。”

“要是我永远不结婚呢？要是我不想结婚呢？”

“那么计划你的签名售书会，或者你的艺术展开幕式。”

“她要获得诺贝尔奖和奥运会冠军，”盖特说，“她可以计划庆祝宴会。”

“好的，不错，”我说，“让我们计划我的奥运会手球宴会，如果这会让你们高兴的话。”

于是我们筹划起来。包在蓝色软糖料里的巧克力手球。为我做的金裙子。里面有细小金球的笛形香槟杯。我们讨论起人们是否要戴上怪异的护目镜打手球，就像打短拍壁球那样，然后决定为了我们的宴会，他们应该戴上。宴会期间，所有客人都要戴上金色手球护目镜。

“你是在一个手球队打球吗？”盖特问道，“我是说，那儿要有刚勇好战的整队手球女队员，和你一起庆祝胜利吗？还是你一人赢得冠军？”

“我不知道。”

“你真该训练自己，”盖特说，“不然你永远拿不到金牌。如果你只拿到银牌，我们就得重新考虑整场宴会。”

那天生活感觉十分美好。

我们四个说谎者，我们一直都是。

我们永远都是。

不论我们上大学，变老，打造自己的生活；不管盖特和我是否在一起；不管我们去哪里，我们都将常来卡德唐的屋顶，凝望大海。

这座岛是我们的。在这里，从某些方面来说，我们永远年轻。

46

接下来的一天更阴沉。说谎者们哪儿也不想去。米伦喉咙痛、身上疼。她大多时候待在卡德唐。她画画挂在过道，在工作台边把贝壳排成一行行。碗碟堆在洗涤槽和咖啡桌上。大房间四处胡乱堆放着 DVD 和书。床没有铺，浴室有一股潮湿、发霉的味道。

约翰尼边用指头蘸着奶酪，边看英国电视喜剧。有天他收集了一排受潮的旧茶包，把它们扔进满是橙汁的杯子里。

“你在干什么？”我问道。

“最大的水花得分最多。”

“但为什么？”

“我的大脑以神秘的方式运转，”约翰尼说，“我发现通常低手投球是最好的方法。”

我帮助他弄出一个分值体系。少量水五分，水坑十分，杯子后面的墙上弄出装饰图案二十分。

我们用掉了一整瓶现榨果汁。弄完后，约翰尼让杯子和被毁坏的渗漏茶包保持原样。

我也没有清理。

盖特有一个最伟大的百部小说名单，他设法阅读完他能在岛上找到的书。他用便利贴做标记，并且大声朗读段落。《隐身人》(*Invisible Man*)《印度之行》(*A Passage to India*)《伟大的安巴逊》(*The Magnificent Ambersons*)。他朗读时我不十分注意，因为自从我们达成表现正常的一致意见后，盖特没有吻过我，也没有跟我接触过。

我觉得他在避免与我单独相处。

我也在避免与他单独相处，因为我浑身每个细胞都渴望在他身边，因为他的每一个动作都充满了电。我总是想拥抱他或者触摸他的唇。想到这里时——如果那一瞬间约翰尼和米伦在视线之外，如果我们俩单独相处哪怕一秒——单恋的刺痛就引发偏头痛。

这些天偏头痛是个乖戾的干瘪老太婆，用她残忍的指甲触摸我大脑的皮肉。她戳着我暴露出来的神经，探究着是否她能居住在我的头骨。如果她进来了，我就要在我的卧室禁锢一天或者两天。

大部分日子，我们在屋顶吃午餐。

我猜我生病的日子，他们也来这里吃午餐。

瓶子不时滚落屋顶，玻璃打碎。事实上，门廊到处是玻璃碎片，上面沾着柠檬汽水。

苍蝇们为糖所吸引，上下翻飞。

47

第二个周末，我发现约翰尼独自在院子里用乐高积木片搭建筑，他肯定是在红门找到这些积木的。

我从新克莱尔蒙特厨房拿来了泡菜、芝士条和吃剩的烤金枪鱼。由于只有我们两个，我们决定不去屋顶。我们打开盒子，把它们摆在肮脏的门廊边上。约翰尼说他想用乐高搭建霍格华兹魔法学校，或者一颗死星。或者，等等！更好的是一条乐高金枪鱼，可以挂在新克莱尔蒙特，如今外公的动物标本都不在那里了。就是这样。糟糕的是这个气人的岛上没有足够的乐高来完成像他这样梦幻的工程。

“为什么我出事后你没有打电话或者发邮件？”我问道。我本来没打算提起这件事。这句话突然从我嘴中迸了出来。

“噢，卡迪。”

我感觉这么问很蠢，但我想知道。

“你难道不想谈谈乐高金枪鱼吗？”约翰尼随口说道。

“我还以为或许那些邮件让你恼火，我打听盖特的那些邮件。”

“不，不。”约翰尼在他的T恤上擦了擦手。“我消失了，因为我是个笨蛋。因为我没有充分考虑过我的选择，我看了太多动作片，我有点儿跟风行事。”

“真的？我觉得你不是那样。”

“这是无可否认的事实。”

“你没有生气？”

“我只是蠢得无可救药，但没有生气。从没生气。对不起，卡登丝。”

“谢谢。”

他拿起一把乐高积木，开始把它们拼合在一起。

“为什么那时盖特消失了？你知道吗？”

约翰尼叹了口气。“这是另外一个问题。”

“他说我不了解真正的他。”

“可能如此。”

“他不想讨论我的事故，也不想讨论那个夏天我们发生的事。他想要我们表现正常，就像什么事情也没有发生。”

约翰尼把乐高排成长条：蓝色、白色和绿色。“盖特跟你开始，就对不起拉克尔。他知道这样做不对，他恨自己这样。”

“说得对。”

“他不想成为那种家伙。他想做个好人。那个夏天他的确对各种各样的事情愤怒。他那时没有在你身边，让他更恨自己。”

“你这么想？”

“我猜的。”约翰尼说。

“他跟别人在交往吗？”

“噢，卡迪，”约翰尼说，“他是个自命不凡的蠢货，我像爱兄弟一样爱他，但是你太好，他配不上。去给你自己找个弗蒙特的好人，像德雷克·洛格赫德那样肌肉发达的。”说完他哈哈大笑起来。

“你真差劲。”

“这一点我不能否认，”他回答说，“不过你最好别这么痴情。”

48

赠送：黛安娜·温尼·琼斯写的《魔法的条件》。

这是我和盖特八岁那年，妈妈读给我们听的奎师塔门西故事之一。从那时起，我重读过好几次这本书，但我怀疑盖特没有重读过。

我打开书，在扉页上写道：**送给盖特，谨致一切。一切。卡迪。**

第二天一大早我就去了卡德唐，跨过旧茶杯和DVD。我敲了敲盖特卧室的门。

没有应答。

我又敲了一下，然后推开门。

这里过去是塔夫脱的房间，里面满是玩具熊和模型船，另有盖特喜欢的一堆堆书，薯片的空袋子，踩碎的腰果。半满的果汁和苏打瓶，CD，拼字游戏盒，大部分的字母牌散落在地板上。这间房跟房子的其他地方一样糟糕，甚至更糟。

总之，他不在这里。他肯定在海滩。

我把书放在他的枕头上。

49

那天晚上，盖特和我发现卡德唐的屋顶上只有我们两人。米伦不舒服，约翰尼带她下楼喝茶去了。

从新克莱尔蒙特传来声音和音乐，姨妈们和外公正在那里吃蓝莓派，喝波尔图葡萄酒。小家伙们在起居室看电影。

盖特走上倾斜的屋顶，一直走到檐沟又上来。似乎非常危险，很容易就会摔倒——可他无所畏惧。

现在我可以跟他说话。

现在我们可以停止假装表现正常。

我寻找着恰当的词语、开始的最好方式。

突然他三大步走回我坐的位置。“你非常非常美，卡迪。”他说。

“月光的作用，让所有女孩看上去都很漂亮。”

“我每时每刻都认为你美。”月光映衬出他的轮廓。“你在弗蒙特交男朋友了吗？”

我当然没有。除了他以外，我没有过男朋友。“我男朋友名叫帕尔赛特[1]，”我说，“我们十分亲密。去年夏天我去欧洲时，还带着他。”

“天啊。”盖特感到气恼，站起来走回屋顶边。

“开玩笑的。”

盖特走回我身旁。“你说我们不要为你感到难过——”

[1] Percocet，扑热息痛。——译者注

“没错。”

“——可你又说这些话。我男朋友名叫帕尔赛特。还有，我盯着蓝色的意大利马桶底座。显然你想要大家同情你。我们会的，我会，但你不知道你多么幸运。”

我的脸通红。

他说得没错。

我的确想要别人同情我。没错。

可又不是。

没错。

可又不是。

“对不起。”我说。

“哈里斯送你去欧洲待了八个星期，你认为他会送约翰尼或米伦去吗？他也不会送我去，无论如何。在你抱怨他人梦寐以求的东西之前，先想一想。”

我退缩了下。“外公送我去的欧洲？”

“得啦，”盖特怨恨地说道，“难道你真认为是你父亲掏的钱？”

我马上意识到他说的是事实。

当然不是爸爸掏的钱。他做不到。大学教授不会搭头等舱，住五星级酒店。

我习惯了在比奇伍德过夏天，习惯了储存满满的食品室、多辆汽艇、安静烤牛排和洗亚麻织品的员工——我甚至没有去想一想这些钱是从哪里来的。

外公送我去了欧洲。为什么？

为什么妈妈没跟我一起，如果那次旅行是外公的礼物，为什么爸爸会接受外公的钱？

“展现在你面前的人生有一百万种可能性，”盖特说，“你要求同情时真让我受不了，就这样。”

盖特，我的盖特。

他说得没错。是的。

但他不明白。

“我知道没人打我，”我说，突然间颇为敏感，“我知道我有很多钱，得到了良好教育。衣食无忧。我没有死于癌症。很多人比我的状况糟糕得多。我也知道我很幸运去了欧洲。我不应该抱怨，不应该不知感恩。”

“这么说，你还不错。”

“但是听着。你不知道这样子头疼是什么感觉。你不知道。非常痛苦。”我说——我意识到泪水划过我的面颊，虽然我没有啜泣。“有些日子，它让人感觉活着很艰难。很多次我希望自己死去。真的，只是为了让那种痛苦停止。”

“不，”他严厉地说，“你不希望自己死去。别说这种话。”

“我只是希望结束这种痛苦，”我说，“在药物不起作用的时候。我希望痛苦终结，我愿意做任何事——真的，任何事——只要能结束这种痛苦。”

一阵沉默。他走到屋顶底端，背对着我。“那么你做些什么，在那种时候？”

“什么也不做。我躺下来等待，一遍遍提醒自己疼痛不会一直持续下去。会有另一天，之后又是另一天。某一天，我会起床，吃早餐，感觉很好。”

“另一天。”

“没错。”

他转过身，几步跳上屋顶。突然他抱住我，我们互相依偎。

他微微颤动，用冰冷的唇吻我的脖颈。我们就这样互相拥抱了一两分钟。

就好像宇宙在自我重组。

我明白我们的愤怒消失了。

盖特吻我的唇，抚摸我的脸。

我爱他。

我一直爱他。

我们在屋顶上待了很长时间。很久很久。

50

米伦生病的频率越来越高。她起得晚，涂了指甲，躺在太阳下，盯着咖啡桌大书上的非洲风景图片。不过她不潜水，不乘船航行，不打网球，也不去埃德加敦。

我从新克莱尔蒙特拿软心糖豆给她。米伦喜欢软心糖豆。

今天，她和我躺在小海滩上。我们读着我从双胞胎那里顺来的杂志，吃着小胡萝卜。米伦戴着耳机。她一遍遍听着我 iPhone 上的一首歌：

我们的青春虚度了

我们不应该虚度

记住我的名字

因为我们创造了历史

啦啦啦啦，啦啦啦

我用一根胡萝卜戳米伦。

“什么？”

“别唱了，否则我可不为我的行为负责。”

米伦严肃地转向我，拔出耳塞。“我能跟你说点事吗，卡迪？”

“当然。”

“关于你和盖特。昨天晚上我听见你们俩从楼上下来。”

“所以呢？”

“我认为你最好不要打扰他。”

“什么？”

“这样下去没有好结果，事情会搞得一团糟。”

“我爱他，”我说，“你知道我一直爱他。”

“你这样让他很难办，比当前的状况更难，你会伤害他。”

“不对。他很可能会伤害我。”

“唉，那也可能。你们两个不应该在一起。”

“难道你不明白我宁愿被盖特伤害，也不愿意跟他分开？”我说着坐了起来。“我宁愿活着并冒险无数次，得到一个坏结果，也不愿意待在我过去两年待的盒子里。那是一个小盒子，米伦。我和妈妈。我和我的药。我和我的痛苦。我不想再在那里生活了。”

空气中一片沉寂。

“我从来没有过男朋友。”米伦脱口而出。

我看着她的眼睛，那眼里有泪。“德雷克·洛格赫德呢？还有黄色玫瑰和性交？”我问道。

她低下头。“我说谎了。”

“为什么？”

“要知道，当你来到比奇伍德后，就来到了一个不一样的世界。你不必是你在家的那个人。你能成为某个更好的人，也许。”

我点点头。

“你回来的第一天，我注意到盖特，他看你的眼神就像你是银河系最闪亮的行星。”

“真的？”

“我非常希望有人也那么看着我，卡迪。非常希望。我不是有意的，但我说了谎。对不起。”

我不知道说什么好。我深吸了一口气。

米伦厉声说道：“别抽气，好吗？没关系。我从没有过男朋友这件事没关系。没人爱过我没关系，好吗？这是完全可以忍受的。”

妈妈的喊声从新克莱尔蒙特传来。“卡登丝！你能听见我说话吗？”

我喊了回去。“有什么要我帮忙？”

“厨师今天不在。我在做午饭。过来切西红柿。”

“马上，”我叹了口气，看着米伦，“我得走了。”

她没有答话。我拉上帽衫，疲惫地沿着小路走向新克莱尔蒙特。

在厨房，妈妈递给我一把特别的西红柿刀，说了起来。

唠唠叨叨，你总是在小海滩。

唠唠叨叨，你应该跟小家伙们玩。

外公不会永远在这里。

你知道你晒伤了吗？

我切啊切，一篮子奇形怪状的西红柿，黄色、绿色、灰红色。

51

我在岛上的第三个星期慢慢过去，偏头痛占用了两天，也许三天。我连这个都不清楚。我瓶子里的药渐渐见底，虽然在我们离家之前我配了药。

我怀疑妈妈是否在吃这些药。也许她一直在吃这些药。

也许双胞胎又来我房间，拿走了她们不需要的东西。也许她们吃了。

也许我不知不觉中多吃了。在疼痛的混沌中将分外的药塞进嘴里。忘了上次的剂量。

我害怕告诉妈妈我需要更多。

感觉状况稳定后，我又去了卡德唐。太阳低悬在空中。门廊上覆盖着破碎的瓶子。屋内，丝带从天花板垂落，在地板上缠绕在一起。

洗涤槽的碗碟干了，积了一层垢。餐桌桌布脏兮兮的。咖啡桌上留着茶杯的圆形印记。

我发现说谎者们聚集在米伦的卧室，都在看《圣经》。

“有关拼字游戏的争论，”我一进去米伦就说道，她合上《圣经》，“盖特是对的，一如往常。你总是该死的正确，盖特。要知道，女孩们可不喜欢这样的男孩。”

拼字游戏字母牌散落在大房间的地板上，我进来时看到了。

他们没在玩。

“过去几天你们这些家伙干了些什么？”我问道。

“噢，老天，”约翰尼说着，手脚伸开躺在米伦的床上，“我已经忘了。”

“七月四日，”米伦说，“我们去新克莱尔蒙特吃晚餐，然后大家坐大汽艇去马撒葡萄园看烟火。”

“今天我们去了楠塔基特岛的甜甜圈店。”盖特说。

他们从没去过任何地方，见任何人。如今在我生病的时候，他们哪儿都去，见所有人？

“簌簌的雪花，”我说，“那家甜甜圈店的名字。”

“对。那家的甜甜圈好得出奇。”约翰尼说。

“你讨厌蛋糕甜甜圈。”

“当然，”米伦说，“但我们没有要蛋糕，我们要了糖浆麻花面包。”

“还有波士顿奶油派。”盖特说。

“还有果酱。”约翰尼说。

但我知道“簌簌的雪花”只做蛋糕甜甜圈，没有糖浆麻花面包，没有波士顿奶油派，没有果酱。

他们为什么要说谎？

52

我和妈妈、小家伙们在新克莱尔蒙特吃晚餐，但是那晚偏头痛再次袭来。这一次比前一次更厉害。我躺在黑暗的房间里。食腐鸟啄食着从我破碎的颅骨流出来的东西。

我睁开眼睛，盖特站在我身旁。我透过一片薄雾看见了他。光透过窗帘照射进来，现在肯定是白天。

盖特从没来过温德米尔，但此时他在这里，看我墙上的方格纸，看便利贴，看自从我来这里后添加的新的记忆和信息，有关外婆死去的狗、外公和象牙鹅、盖特给我的那本莫里亚蒂的书，三姐妹为波士顿的房子争吵的记录。

“不要读我那些记录，”我呻吟着说，“不要。”

他退后一步。“贴在这里任何人都看得到。抱歉。”

我转向另一边，脸贴住温热的枕头。

“我不知道你在收集故事。”盖特坐在床上，握住我的手。

“我努力记住没人愿意提及的事情，”我说，“包括你。”

“我愿意谈。”

“真的？”

他盯着地板。“两年前，我有一个女朋友。”

“我知道。我一开始就知道。”

“可我从没告诉过你。”

“是的，你没有。”

“我热切地爱着你，卡迪。无可阻挡。我本该告诉你一切，我本该立刻跟拉克尔分手。只是——她回家了，我一年没有见你，我的手机在这里用不了，我又一直收到她寄来的包裹。还有信。整个夏天。”

我看着他。

“我是个懦夫。”盖特说。

“是啊。”

“对你和对她，都很残忍。”

我的脸因为嫉妒而发烫。

“对不起，卡迪。”盖特继续说道，“今年我们来这儿的第一天我就应该告诉你这些。我错了，对不起。”

我点点头。很高兴听见他这么说。我真希望我不是这么高兴。

“我讨厌自己做过的所有事情，”盖特说，“不过真正让我一团乱的是那种矛盾心理。我不恨自己的时候，我感到自己是正义的，是受害者。觉得这个世界十分不公平。”

“你为什么憎恨自己？”

在我觉察之前，盖特躺到了我身边。他冰冷的手指包裹住我温暖的手指，脸贴近我的脸。他吻我。“因为我想要我不能拥有的东西。”他低声说。

但他有我。难道他不知道他已经拥有我吗？

或者盖特说的是别的东西，他没法拥有的别的东西？一些物质的东西，对某些东西的梦想？

我满身是汗，头痛，没法清楚地思考。“米伦说不会有好结果，让我不要打扰你。”我告诉他。

他再次吻我。

“有人对我做了什么事情，太可怕记不起来。”我轻声说。

“我爱你。”他说。

我们彼此相拥，吻了很久。

我的头痛消退了一点，但不是完全。

我睁开眼睛，时钟显示午夜。

盖特走了。

我放下窗帘看向窗外，拨开扇窗透透气。

卡丽姨妈又穿着睡衣在游荡，经过温德米尔，在月光下挠着她过瘦的胳膊。这次她连羊毛靴都没穿。

从红门传来威尔噩梦后的哭泣。“妈妈！妈妈，我需要你。”

然而卡丽没有听见，不然她不会走。她转变方向，沿着小路朝新克莱尔蒙特走去。

53

赠送：一塑料盒乐高。

我已经送出了自己所有的书。我送了几本给小家伙们，一本给盖特，然后跟贝丝姨妈一起将剩下的捐给了马撒葡萄园上的慈善商店。

今天早上我翻遍了阁楼。那儿有一盒乐高，于是我把它们拿给了约翰尼。我发现他独自待在卡德唐的大房间里，往墙上掷彩泥，而后看着颜料在白漆上留下污迹。

他看见乐高积木，摇了摇头。

“给你搭金枪鱼，”我解释道，“现在你就有足够的积木了。”

“我不会去搭。”他说。

“为什么？”

“太费事，”他说，“把它们给威尔。”

“威尔的积木不是在这里吗？”

“我拿回去了。小家伙们爱死积木了，”约翰尼说，“他会很高兴拥有更多。”

午餐时我把积木拿给了威尔。没什么乐高人仔，有很多搭小车的部件。

他乐疯了。午餐期间，他和塔夫脱一直在搭小车，连饭都没有吃。

54

那天下午，说谎者们把皮艇弄了出来。“你们要做什么？”我问道。

“绕过岬角去我们知道的那个地方，”约翰尼说，“我们以前去过。”

“卡迪不能去。”米伦说。

“为什么？”约翰尼问道。

“因为她的头！”米伦嚷道，“要是她再伤到头，偏头痛变得更严重怎么办？天啊，你有脑子吗，约翰尼？”

“你为什么要嚷嚷？”约翰尼喊道，“别这么专横。”

他们为什么不想我去？

“你可以来，卡登丝，”盖特说道，“她来没关系的。”

我不想未被邀请就跟去——但盖特拍了拍他前面的皮艇座位，我爬了进去。

我不想跟他们分开。

永远不想。

我们划着双人皮艇绕过温德米尔下面的海湾侧边来到一个小湾。妈妈的房间就在悬垂部分上面。下面满是崎岖的岩石，就像一个洞穴。我们把皮艇拉到岩石上，爬到干燥阴凉的地方。

米伦晕船，虽然我们只在皮艇里坐了几分钟。如今她常常不舒服，这不足为奇。她躺下来，胳膊捂住脸。我有点期望男孩们取出野餐——他们带着个帆布包——可盖特和约翰尼开始攀爬岩石。看得出来，他们以前爬过。他们赤脚爬到水面上方 25 英尺的高点，在高悬于海面的一块岩架上停了下来。

我一直看着他们，直到他们安顿下来。“你们在做什么？”

“我们在彰显男子气概。”约翰尼喊道。他的声音发出回音。

盖特笑了。

“不，说真的。”我说。

“你或许认为我们是都市男孩，但事实是，我们充满男子气概和雄性激素。”

“不是。”

“是的。”

“噢，拜托，我要爬上去跟你们一起。”

“不，不要！”米伦说。

“约翰尼刺激我，”我说，“我现在必须去。”我沿着男孩子们上去的方向爬了起来。手底下的石头冰凉，比我想象的滑溜。

“不要，”米伦重复道，“这就是我不想你来的原因。”

“那你为什么来了？”我问道，“你要上去吗？”

“我上次跳过，”米伦承认道，“一次就够了。”

“他们要跳下来？”看上去似乎不可能。

“停下来，卡迪，危险。”盖特说。

我还没来得及爬得更高，约翰尼捏住自己的鼻子往下跳，从高高的岩石上骤然下落。

我尖叫起来。

他栽进水中，这里到处都是岩石。看不出海水的深浅。这样跳下来，他当真会死掉。他会——但他冒了出来，抖掉黄色短发上的水，高声喊叫。

“你疯了！”我责骂道。

接着盖特跳了下来。约翰尼跳下来时加速又嚷嚷，盖特没有说话，腿并在一起。他划破冰冷的海水，几乎没有溅起水花。他开心地冒出来，挤出T恤上的水，爬回干燥的岩石上。

“他们都是白痴。”米伦说。

我抬头看着他们起跳的岩石块，似乎不可能有人能存活。

突然，我想做这件事。我又开始爬了起来。

“不要，卡迪，”盖特说，“拜托，不要。”

“你刚刚跳了，”我说，“并且你说过我来没关系。”

米伦坐起来，她的脸色苍白。“我现在想回家，”她催促道，“我不舒服。”

“拜托，不要，卡迪，到处都是岩石，”约翰尼叫道，“我们不该带你来的。”

“我不是病人，”我说，“我会游泳。”

“不是这个意思，只是——这不是一个好主意。”

“为什么对你们就是个好主意，对我就不是？”我厉声说道。我快到顶端了。我的指尖由于紧抓岩石已经起了水疱。血液里肾上腺素急蹿。

“我们刚才在犯傻。”盖特说。

“炫耀。”约翰尼说。

“下来，求你了。”米伦哭了起来。

我没有下来。我膝盖抵着胸膛，坐在男孩们往下跳的那块岩架上，低头看着翻滚的海水。水面下暗影重重，但我也能看见一片开阔的空间。如果我跳的方位恰当，我会落入深海。

“总是去做你害怕做的事情！”我大声说道。

“那是一句愚蠢的座右铭，”米伦说，“我跟你说过。”

他们认为我患病，我要证明自己强壮。

他们认为我软弱，我要证明自己勇敢。

高高的岩石上有风。米伦在抽噎。盖特和约翰尼冲我吼叫。

我闭上眼睛往下跳。

水的冲击令人刺激，震颤。我的腿蹭到了一块岩石，我的左腿。我纵身跳进海里，坠入岩石嶙嶙的海底，我可以看见比奇伍德岛的基底，我的手脚麻木，手指冰冷。下落时一片片海草从我身边漂过。接着我又向上游，呼吸。

我没事。

我的头没事。

没人需要为我哭泣，为我担心。

我很好。

我活着。

我游到岸边。

有时我纳闷现实是否分裂。在《魔法的条件》——我送给盖特的那本书中，存在着平行宇宙，同一个人身上发生不同的事情。有另一种选择，或者说一件事情结果不同。每个人在另一个世界有另一个自己。拥有不同人生，不同运气的另一个自己。

变异。

譬如，我想知道是否有另一个版本的今天，我从悬崖上跳下来摔死了。我有一个葬礼，我的骨灰撒在了小海滩。一百万朵牡丹花包围着我溺亡的身体，人们痛苦地啜泣。我是一具美丽的尸体。

我想知道是否有一个版本，约翰尼受了伤，他的腿和背撞到了石头上。我们没法拨打紧急援助电话，不得不用皮艇载着神经被切断的他回去。等到我们用直升机把他送到大陆上的医院时，他再也不能走路了。

或者另一个版本，我没有和说谎者们乘皮艇过来。我任他们排挤我。他们一直去很多地方，却不带上我，对我说些小谎话。我们一点点疏远，最后我们愉快恬静的夏天永远被毁掉。

对于我来说这些变化的版本很有可能存在。

55

那天晚上我冻醒了。我把毯子踢掉了，窗户也开着。我猛地坐起来，一时间头晕目眩。

一个记忆袭来。

卡丽姨妈在哭。她弯着腰，鼻涕从脸上流下来，都没顾得上擦一下。她直不起腰来，抖个不停，像要呕吐。天黑着，她穿着白色棉衬衫，外面套一件防风夹克——约翰尼的蓝格子夹克。

她为什么穿着约翰尼的防风夹克？

她为什么如此悲伤？

我起床，找到了运动衫和鞋，抓起手电筒朝卡德唐走去。大房间空荡荡的，被月光照亮。厨房台面上乱七八糟堆着许多瓶子。有人留下了一个削过皮的苹果，它变成了褐色。我能闻到它的味道。

米伦在这里。我先前没看到她。她裹在条纹阿富汗地毯下面，靠着沙发。

“你来了。”她低声说。

“我来找你。”

“有事吗？”

“我想起来一个场景。卡丽姨妈在哭。她穿着约翰尼的外套。你记得卡丽哭吗？”

"有时。"

"但是第十五个夏天，她把头发剪短的时候呢？"

"没有。"

"你怎么不睡觉？"我问道。

米伦摇了摇头。"我不知道。"

我坐了下来。"我能问你一个问题吗？"

"当然。"

"我需要你告诉我在我出事前后发生的事情。你总是说没什么重要的——但我肯定出了什么事，除了在夜晚游泳打到了头以外。"

"啊哈。"

"你知道出了什么事吗？"

"彭妮说医生们建议不要管它。你会自己想起来的，其他人不要给你压力。"

"可我在问，米伦，我需要知道。"

她把头放在膝盖上，思考。"你做出的最佳猜测是什么？"最后她说道。

"我——我认为我是某件事情的受害者。"这些话很难说出口，"我认为我被强奸,袭击或者遇到了什么糟糕的事情。那种事情让人失忆，不是吗？"

米伦擦了擦自己的嘴唇。“我不知道要跟你说什么。”她说。

“告诉我出了什么事。”我说。

“那是一个混乱的夏天。”

“为什么？”

“我只能说这么多，我亲爱的卡迪。”

“为什么你从来不离开卡德唐？”我突然问道，“你几乎不离开，除了去小海滩。”

“我今天去划皮艇了。”她说。

“可你不舒服。你害怕吗？”我问，“害怕外出？公共场所恐惧症？”

“我不太舒服，卡迪，”米伦分辩道，“我老是感觉寒冷，身体控制不住地颤抖。我的喉咙生疼。如果你是这种感觉，你也不会出去。”

一直以来我的感受比这更糟糕，但头一次我没有提起我的头痛。“那么我们应该告诉贝丝，带你去看医生。”

米伦摇了摇头。“不过是没法甩掉的恼人伤风，我变得像个孩子。你能给我弄点姜汁饮料吗？”

我不能再争论下去了。我给她弄了点姜汁饮料，我们打开电视机。

56

清晨，有个轮胎秋千挂在温德米尔草地的树上，跟以前挂在克莱尔蒙特前面的巨大老枫树上的一样。

非常完美。

就像外婆蒂珀荡起我的那个秋千。

爸爸。

外公。

妈妈。

就像盖特和我午夜在上面亲吻的那个秋千。

我现在记起来了，第十五个夏天，约翰尼、米伦、盖特和我一起挤进克莱尔蒙特的秋千。我们身材过于高大，挤不下。我们拿肘推着彼此，重新调整自己。我们傻笑，发着牢骚，指责彼此屁股太大，指责彼此有臭味，再次重新调整。

最后我们安顿下来，可我们荡不起来。我们辛辛苦苦地挤进秋千，没法动起来。我们不停喊着让人来推一把。双胞胎走过，却拒绝帮忙。最后，塔夫脱和威尔从克莱尔蒙特出来，回应了我们的请求。他们嘟哝着推着我们荡起一个大圈。我们那么重，他们松手后，我们越转越快，笑得头晕目眩，想要呕吐。

我们四个说谎者。我现在记起来了。

这座新秋千看上去很结实，很仔细地打着结。

轮胎内侧放着一个信封。

盖特的笔迹：给卡迪。

我打开信封。

几十朵干玫瑰花散落。

57

从前有位国王，他有三个漂亮的女儿。她们要什么，他就给什么。她们长大后，举行了盛大的婚礼。小公主生了一个女儿时，国王和王后欣喜若狂。不久，二公主生了一个女儿，庆典再次举行。

末了，大公主生了一对双胞胎儿子——然而哎呀，与大家的期望不一样。一个是人，一个健壮的男婴；另一个是一只小耗子。

没有庆典，也没有发表声明。

大公主羞愧得不得了。她的一个孩子是个动物。他永远不会光彩夺目、晒得黑黝黝，令人愉快，像人们对皇室成员期望的那样。

孩子们渐渐长大，还有那只小耗子。他聪明，胡须总是很干净。他比他的兄弟和表姐们更聪明，更充满好奇心。

然而他还是遭到国王和王后的憎恶。她母亲一有能力，就让这只老鼠自立，给他一个小背包，她在里面装了一些蓝莓和干果，打发他去见世面。

他出发了，因为这只老鼠见够了宫廷生活，知道如果他待在家里，他将永远是个不可告人的秘密，是他的母亲和任何认识他的人受辱的源头。

他甚至没有回头看一眼城堡，他以前的家。

在那里他甚至从来没有一个名字。

现在，他可以自在地前行，在这个广袤的世界出人头地。

或许，只是或许，有天他会回来，把这个该死的宫殿烧为平地。

W e

w e r e

l i a r s

〔第四部分〕

CHAPTER 04

那年夏天原来有场大火

我们以为如果这栋房子没了，他们为之争吵的所有东西也没了，他们会为自己的行为感到后悔。之后，重新学会彼此相爱。

我们一遍遍告诉彼此：我们是对的。我们不应让这个家分裂。

我们四个做了我们害怕做的事情。

我们把这种象征烧得片甲不留。

58

看。

一场大火。

在比奇伍德岛的南端，那棵枫树就屹立在那里宽阔的草地上。

房子燃烧着，火焰蹿得老高，点亮天空。

没人来帮忙。

远处，我能看到马撒葡萄园的消防队员，乘坐一辆灯火通明的小船穿过海湾。

更远处，伍兹霍尔消防船朝我们放的火缓缓驶来。

盖特、约翰尼、米伦和我。

我们放了这把火，烧毁了克莱尔蒙特。

烧毁这座宫殿，有三个漂亮女儿的国王的宫殿。

我们放的火。

我、约翰尼、盖特和米伦。

我现在记起来了，紧张得摔倒在地。

我纵身跳进海里，坠入岩石嶙嶙的海底，我可以看见比奇伍德岛的基底，我的手脚麻木，手指冰冷。下落时一片片海草从我身边漂过。

接着我又向上游，呼吸。

克莱尔蒙特在燃烧。

我在温德米尔的床上，破晓时分。

这是我在岛上最后一周的第一天。我裹着毛毯，跌跌撞撞走到窗边。

那里是新克莱尔蒙特。僵硬的现代风格和日式花园。

我现在看清了它的本质：它是建立在灰烬上的一栋房子。外公与外婆共度的生活的灰烬，悬挂着轮胎秋千的枫树的灰烬，有门廊和吊床的老式维多利亚风格房子的灰烬。这栋新房子建立在家族的所有纪念品和标志的坟墓上：《纽约客》漫画、动物标本、绣花枕头、全家福。

我们全烧掉了。

在外公和其他人乘船驶过海湾的一个晚上，那时员工们下班了。

只有我们说谎者在岛上。

我们四个做了我们害怕做的事情。

我们烧掉的不是一个家，而是一种象征。

我们把这种象征烧得片甲不留。

59

卡德唐的大门锁了。我砰砰打门，约翰尼出现了，身着昨晚穿的衣服。“我在装模作样泡茶。”他说。

“你穿着衣服睡觉吗？”

“是的。”

“我们放了一把火。”我告诉他，仍然站在门口。

他们不会再对我说谎。外出寻乐不带上我，做决定不征求我的意见。

我现在了解了我们的故事。我们是罪犯。四人团伙。

约翰尼看着我的眼睛，看了很久，但一句话也没有说。最后他转身进了厨房。我跟了上去。约翰尼把水壶里的热水倒进茶杯。

“你还想起了什么？”他问。

我迟疑着。

我能看见那场大火。浓烟。庞大的克莱尔蒙特燃烧的样子。

我知道，无可挽回、无可否认，我们放的火。

我能看见米伦的手，金色指甲油有缺损，拿着汽艇上用的一罐汽油。

约翰尼的脚，从克莱尔蒙特的楼梯跑下来，一直跑到船库。

外公，抓住一棵树，他的脸被篝火的火光照亮。

不。纠正。

他被烧毁的房子的火光照亮。

这些场景我一直记得。我刚刚知道如何拼合起它们。

“不是所有，”我告诉约翰尼，“我只知道我们放了火。我能看见火焰。”

他在厨房地板上躺了下来，双手抱头。

“你没事吧？”我问。

“我他妈的累了。如果你想要知道。”约翰尼翻过身，鼻子贴住瓷砖。“她们说不会再提，”他对着地板咕哝道，“她们说一切已经结束，她们会老死不相往来。”

“谁？”

“姨妈们。”

我在他身旁躺下来，这样我能听清他在说什么。

“姨妈们喝醉了，夜复一夜，”约翰尼咕哝道，似乎很难说出这些话，“并且每次都越发愤怒。互相吵嚷，跄跄踉踉在草地上走。外公一味火上浇油。我们看着她们为外公的东西和挂在克莱尔蒙特的艺术品争论不休——不过最主要的是房地产和钱。外公陶醉于自己的权势，我母亲想要我想方设法拿到钱。因为我是最大的男孩。她不停激我——我不知道。做聪明的年轻继承人，说自己作为长孙很委屈。

做民主的有学识的未来之星，一些胡说八道。她要失去外公的宠爱，她想要我去争取宠爱，这样她便不会失去遗产。”

他说的时候，记忆在我脑中闪过，如此强烈清晰，让人痛楚。我缩了一下，手盖住眼睛。

“关于那场大火，你还记得什么？”他温柔地问，“又想起了吗？”

我闭上眼睛，试着回忆。“不，不是那些。其他事情。”

约翰尼伸出手来握住我的手。

60

第十五个夏天之前的春天，妈妈让我写信给外公。没什么露骨的。“今天想起了您和您蒙受的损失。希望您一切都好。”

我送出实物卡片——鲜奶油卡，顶端印着卡登丝·辛克莱·伊斯门。“亲爱的外公，为了进行癌症研究，我刚刚骑了五公里车。网球队下个星期开始。我们的读书俱乐部正在读《旧地重游》(*Brideshead Revisited*)。爱您。”

“就是提醒他你关心他，”妈妈说，“提醒他你是个好孩子。全面发展，是家族的荣耀。”

我发着牢骚。写这些信似乎不真诚。我当然关心。我爱外公，我确实想着他。但我不想每两个星期就写信去提醒我的优秀。

“目前他十分容易动情，”妈妈说，“他很痛苦。想想未来。你是第一个外孙。”

“约翰尼只比我小三个星期。”

“那正是我要说的。约翰尼是个男孩，只比你小三个星期。那么写信吧。”

我按她要求的做了。

第十五个夏天在比奇伍德，姨妈们和妈妈暂时替代了外婆，她们做塌饼、在外公身边忙得团团转，似乎自从十月份蒂珀过世后，他不是一个人生活在波士顿，但她们动不动就吵架，她们不再有外婆将她们维系在一起的黏力，她们为她们的回忆、她的首饰、她壁橱的衣服甚至她的鞋互相争斗。十月份时这些事情没有得到解决。那时人们的感情太微妙。一切都被留到了第二个夏天。六月下旬我们到比奇伍德时，贝丝已经盘点了外婆在波士顿的物品，又开始盘点她在克莱尔蒙特的物品。三姐妹在她们的便笺簿上抄了下来，并且经常拿出便笺簿。

“我向来喜欢那些翡翠圣诞树装饰品。”

“你居然还记得。你从没帮忙装饰。”

“那你认为是谁把树上的东西拿下来的？每年我都用薄纸把所有

装饰品包起来。”

“假圣人。”

“这是妈妈答应给我的珍珠耳环。”

“黑珍珠？她说过给我的。”

夏天慢慢过去，三姐妹开始模糊彼此的记忆，一次又一次争论，旧伤反复受到刺激，添上新伤。

变异。

“告诉外公你有多么爱那些刺绣桌布。”妈妈对我说。

“我不爱。”

“他不会拒绝你。”我们两人在温德米尔的厨房。她喝醉了。“你爱我,不是吗,卡登丝？你现在是我拥有的全部了。你跟爸爸不一样。”

“我不在意桌布。”

“那么说个谎。告诉他波士顿房子的那些，米色的刺绣桌布？”

最简单的事情莫过于告诉她我会的。

后来，我告诉她我说了。

然而贝丝也让米伦去做同样的事情。

我们两人谁都没有去向外公要那该死的桌布。

61

盖特和我晚上去游泳。我们躺在木板栈道上看星星。我们在阁楼亲吻。

我们坠入爱河。

他给我一本书。《谨致一切，一切》(*With everything, everything*)。

我们没有提起拉克尔。我没问，他没说。

七月十四日是双胞胎的生日，那天总是有一顿大餐。我们十二个人全坐在克莱尔蒙特门前草地上的长桌旁。鱼子酱龙虾和土豆。小罐黄油酱。娃娃菜和罗勒。两个蛋糕，一个香草蛋糕和一个巧克力蛋糕，就放在屋内的厨房台面上。

小家伙们吵吵嚷嚷地吃着龙虾，用螯戳着彼此，咂咂地吃着虾腿肉。约翰尼讲故事，米伦和我大笑。外公走过来时我们十分惊讶，他挤到盖特和我之间。“我有件事想询问一下你们的建议，”他说，“年轻人的建议。”

“我们是老于世故、令人敬畏的年轻人，”约翰尼说，“你来对地方了。”

“要知道，”外公说，“我不可能更年轻，尽管我容颜未老。”

“对啊，对啊。”我说。

“撒切尔和我正在处理我的事情。我考虑将我的大部分财产留给我的母校。”

“给哈佛？为什么，爸爸？”妈妈问道，她走过来站在了米伦后面。

外公笑了。“也许资助建立一个学生中心。他们会放上我的名字，就在屋前。”他轻推了一下盖特，“应该叫什么名字，年轻人，嗯？你认为呢？”

“哈里斯·辛克莱礼堂？”盖特试探说。

“哼。”外公摇摇头，“我们可以想个更好的。约翰尼？”

“辛克莱社会化中心？”约翰尼说，往嘴里塞着绿皮西葫芦。

“还有快餐，”米伦说道，“辛克莱社会化和快餐中心。”

外公擂了下桌子，“我喜欢它给人的感受。非教育性的，为所有人喜欢。我确信。我明天给撒切尔打电话。我的名字会出现在学生最喜欢的大楼上。”

“在他们修之前你就死了。”我说。

“没错。不过等你们上大学时，看见我的名字在上面不会感到骄傲吗？”

“在我们上大学之前，你不会死，”米伦说，“我们不允许。”

“噢，如果你坚持的话。”外公从她的盘子叉取了点龙虾仁，吃掉了。

我们轻易就陷了进去，米伦、约翰尼和我——感觉到了他对我们在哈佛的构想中赋予的力量，询问我们的意见和对我们的笑话发笑时我们受到的特别礼遇。外公一直以来都是这么对待我们的。

“你不是在开玩笑吧，爸爸，”妈妈打断道，“把孩子们拉进去。”

“我们不是孩子，”我告诉她，“我们了解这场谈话。”

“不，你们不明白，”她说，“不然你们不会那样迁就他。”

一阵寒意弥漫开来，连小家伙们都安静了。

卡丽和埃德住在一起。两人购买艺术品，以后也许会有价值，也许不会有价值。约翰尼和威尔上私立学校。卡丽曾用她的信托财产开过一个首饰精品店，经营了好些年直到倒闭。埃德挣钱养她，但卡丽自己没有收入。他们没有结婚。他们的公寓由他所有，而不是她。

贝丝独自抚养四个孩子。她从信托财产得到了些钱，就像妈妈和卡丽，但她离婚后，布罗迪保有房屋。自从结婚后她就没有工作过，在那之前她只做过杂志社的助理。贝丝靠信托基金过活，几乎已经耗尽。

还有妈妈。养狗生意报酬不高，爸爸想要我们卖掉伯灵顿的房子，他好拿一半的钱。我知道妈妈靠她的信托基金生活。

我们。

我们靠她的信托基金生活。

这种状况没法持久。

因而当外公说要用他的财产在哈佛建个学生中心，并且询问我们的意见时，他并没有把家人纳入他的财务计划。

他在做出威胁。

62

几个晚上以后。克莱尔蒙特鸡尾酒会。始于六点或六点半，取决于人们漫步上山来到这栋大房子的时间。厨子在准备晚餐，已经摆出了鲑鱼慕斯和松软的薄脆饼干。我走过她身边，从给姨妈们的冰箱里拿出一瓶酒。

小家伙们整个下午一直在大海滩，由在红门的盖特、约翰尼和米伦赶进淋浴间，换上干净的衣服，那儿有间室外浴室。妈妈、贝丝和卡丽围坐在克莱尔蒙特的咖啡桌旁。

我把酒杯递给姨妈们，这时外公走了进来。“彭妮，”他说着从餐具柜上的雕花玻璃酒瓶里给自己倒了杯威士忌，“现在情况发生了变化，你和卡迪今年在温德米尔还好吗？贝丝担心你们太孤单。”

“我可没说那话。”贝丝说。

卡丽眯起眼睛。

“不，你说了。”外公对贝丝说。他示意我坐下。“你说起那五间卧室，修复过的厨房，以及彭妮现在单身，用不着。”

“真的吗，贝丝？”妈妈倒吸了一口气。

贝丝没有回答。她咬着嘴唇，向外看去。

“我们不孤单，”妈妈对外公说，“我们喜欢温德米尔，是吧，卡迪？”

外公笑着对我说道：“你在那里还好吧，卡登丝？”

我知道我应该说什么。“我在那里好极了，太棒了！我爱温德米尔，因为那是您特意为妈妈建造的。我期待在那里抚养我自己的孩子，以及我孩子的孩子。您太了不起了，外公。您是一家之长，我敬重您。真高兴我是辛克莱家的一员。这是全美最好的家族。”

不在于这些话，而是我要告诉外公他是个大人物，他是我们所有幸福的源泉，提醒他我是这个家族的未来，从而帮助妈妈留住这栋房子。全美的辛克莱家族会繁衍不绝，高大、白皙、漂亮并且富有，只要他让妈妈和我待在温德米尔。

我应该让外公感觉外婆死去，他的世界发生动荡时，他能自我掌控。我要经由称赞他来求他——决不承认他提问背后的挑衅。

我母亲和她的姐妹依赖外公和他的钱。她们受过最好的教育，有一千个机会，一千个关系户，然后她们到底还是没法养活自己。她们在这世上没做什么有益的事。没做什么必要的事。没做什么勇敢的事。她们还是小女孩，努力与爸爸搞好关系。他是她们的经济来源，她们的安乐窝。

“对我们来说太大了。”我告诉外公。

我离开房间时，没人说话。

63

用完晚饭回温德米尔的路上，妈妈和我一言不发。一关上门，她就转身看着我。“为什么在外公面前你不支持我？你想要我们失去这栋房子吗？”

“我们不需要。”

“我选的油漆和瓷砖。我从门廊挂的旗帜。”

“有五间卧室。”

“我们原以为会有一个更大的家庭，”妈妈的脸绷紧，“但是没能做到，那并不意味着我不该有这栋房子。”

“米伦和那些家伙可以用得上那些卧室。”

“这是我的房子。不能因为贝丝有很多孩子，离开了她丈夫，你就期望我放弃这栋房子。你不能认为她从我这里夺走这栋房子无关紧要。这是我们的地盘，卡登丝。我们应该留心守候。”

“你能清楚地考虑下吗？”我厉声说道，“你有信托基金。”

“那跟这件事有什么关系？”

“有些人一无所有。我们拥有一切。只有外婆用家里的钱做慈善。现在她去世了，所有人挂念的是她的首饰、饰品和房产。没人试图用自己的钱做些善事。没人试图让这个世界变得更好。”

妈妈站起身来。“你充满了优越感，不是吗？你以为你比我更了解这个世界。我听见盖特说过什么。你贪婪地吸收他的话，就像从勺子上舔食冰激凌。然而你没有付过账单，你没有拥有家庭，拥有财产，通晓人情世故。你不知道你在说什么，你只是一味批评。”

“你在分裂这个家，因为你认为自己值得拥有这栋最漂亮的房子。”

妈妈走到楼梯脚。“明天你去克莱尔蒙特，告诉外公你有多么爱温德米尔。告诉他你期望你自己的孩子在这里过夏天。你跟他说。”

“不。你应该勇敢地面对他。告诉他不要操纵你们。他这么做，是因为他为外婆的过世感到伤心，你看不出来吗？你不能帮帮他吗？或者找份工作，这样他的钱就没那么重要，或者把房子给贝丝。”

“听我说，小姐，”妈妈冷冰冰地说，“你去跟外公说说温德米尔的事，不然我就送你去科罗拉多跟你父亲度过夏天剩下的日子。我明天就去做。我发誓，我一早就带你去机场。你再也见不到你男朋友。明白吗？”

她抓住了我的软肋。

她知道我和盖特的事情。她可以带他走。

会带他走。

我在恋爱中。

我答应了她的所有要求。

当我告诉外公我有多么爱那栋房子时，他笑了，说他知道以后我会有几个漂亮的孩子。他说贝丝是个贪心的姑娘。他没打算把我们的房子给她。后来，米伦告诉我他先前答应将温德米尔给贝丝。

“我会照顾你，”他先前说，“给我点时间把彭妮弄出去。”

64

我跟妈妈拌嘴后几天的一个黄昏，盖特和我来到网球场。我们一声不响地抛球给法蒂玛和菲利普王子。

最后他开口道：“你注意到没有，哈里斯从没叫过我的名字？”

“没有。”

“他叫我年轻人，譬如，这个学年你过得好吗，年轻人？”

“为什么？”

“就像，如果他叫我盖特，他实际上想说的是，这学年你过得好吗，印度男孩，你的印度叔叔跟我纯洁的白人女儿姘居？印度男孩，我逮住你吻我亲爱的卡登丝？”

“你认为他是这么想的？”

“他受不了我，”盖特说，“真的，他或许喜欢我这个人，或者甚至喜欢埃德，但他没法说出我的名字，没法直视我的眼睛。”

没错。现在他这么说，我有些明白了。

“我不是说他只喜欢白人，”盖特继续说道，“他知道他不应该成为这种人。他是个民主党人，他投票给奥巴马——但这并不意味着他的美好家庭里有有色人种，他会感到舒坦。”盖特摇摇头，“他对我们的那一套是虚假的，他不想要卡丽跟我们一起，他没叫埃德‘埃德’，他叫他先生。他总是想尽办法，确保我知道自己是个局外人。”盖特轻轻地抚摸法蒂玛柔软的耳朵。“你在阁楼看到他了。他想要我离你远点。”

对于外公的打扰，我不是这么看的。我以前认为他为突然撞到我们感到尴尬。

然而现在，霎时间，我理解发生了什么。

当心点儿，年轻人，外公说过。你的头，你会受到伤害。

这是另一种威胁。

“你知不知道上个秋天我叔叔向卡丽求婚了？”盖特问道。

我摇摇头。

“他们在一起快九年了。他充当着约翰尼和威尔的父亲。他跪下来求婚了，卡迪。我们三个男孩在场，还有我妈妈。他用蜡烛和玫瑰装点了公寓。我们都身着白色衣服，还从卡丽喜欢的意大利餐厅叫了大餐。他在立体声音响上放了莫扎特的音乐。

“约翰尼和我非常激动，埃德，有什么大不了的？她跟你住在一起，哥们儿。但是他十分紧张。他买了钻戒。总之，她回来了，我们四个躲进威尔的房间，让他们单独相处。我们本应全部冲出房间表示祝贺——但卡丽拒绝了。”

“我还以为他们不想结婚。”

“埃德想。卡丽不想拿她的遗产冒险。”盖特说。

“她甚至没问过外公？”

“这就是问题的关键，”盖特说，“什么事大家都问哈里斯。为什么一个成年女人必须要请求父亲同意她的婚事？”

“外公不会阻止她。”

“不，”盖特说，“卡丽最初搬来和埃德一起住时，哈里斯就明确表示如果她跟他结婚，给她的所有钱就没有了。

“关键是，哈里斯不喜欢埃德的肤色。他是个抱有种族歧视的浑蛋，蒂珀也是。没错，我因为很多原因喜欢他们两人，他们非常慷慨地让我每个夏天来这里。我愿意认为哈里斯甚至没有意识到他为什么不喜欢我叔叔，就讨厌我叔叔到要剥夺他大女儿的继承权。”

盖特叹了口气。我喜欢他下巴的曲线，他 T 恤上的破洞，他给我写的便条，他的大脑运作的方式，他讲话时手移动的样子。那时，我认为我完全了解他。

我倾身向前吻他。我可以吻他，他回吻我，似乎仍然是神奇的事。如此神奇，我们将自己的不足、恐惧和脆弱展现给对方。“为什么我们以前没谈起这件事？”我轻声说。

盖特再次吻我。“我喜欢这里，”他说，“这座岛。约翰尼和米伦。这些房屋和大海的声音。你。”

“你也一样。”

“内心里我并不想毁掉它，甚至不想认为它并不完美。”

我懂得他的感受。

或者说我认为我懂得。

接着盖特和我去了环道，一直走到可以俯瞰港口的宽大平坦的岩石处。海水拍打着岛底。我们彼此相拥，身体半裸，尽可能忘掉美好的辛克莱家族每一个恐怖的细节。

65

从前，有一个富有的商人，他有三个漂亮的女儿。他非常宠爱她们，两个小些的女儿成天什么事也不干，就坐在镜

子面前，欣赏自己的容貌，拧自己的脸让它们更红润。

一天，商人要出门远行。“想要我给你们带些什么礼物回来？”他问道。

小女儿要丝绸和蕾丝礼服。

二女儿要红宝石和翡翠。

大女儿只要一朵玫瑰。

商人离开了好几个月。为他的小女儿，他装了满满一箱五颜六色的礼服。为他的二女儿，他跑遍了珠宝市场。然而快到家时，他才记起答应给大女儿一朵玫瑰花。

他偶然看到路边伸展着一片巨大的铁栅栏。远处是一座黑黑的宅邸，他高兴地看到栅栏旁边一簇玫瑰丛开着红色的花朵。几朵玫瑰触手可及。

一分钟的工夫就摘下了一朵花。商人将花往他的挂包里塞时，一声愤怒的咆哮让他停了下来。

一个披着斗篷的人站在那里，商人确信一分钟之前那里没人。他身材巨大，声音低沉，“你想不给报偿就把花摘走？”

“你是谁？”商人问道，吓得直哆嗦。

“简单地说，我是你偷的花的主人。”

商人解释说他答应远行回来给他的女儿一朵玫瑰。

“你可以留着你偷的玫瑰，”那个人说，“不过作为交换，给我你回家后看见的第一样东西。”接着他揭开风帽，露出一张野兽的可怕的脸，所有的牙齿和口鼻。野猪和胡狼的混合体。

“你招惹过我，”野兽说，“要是你再招惹我，你就没命啦。”

商人尽可能快地骑马往家赶。离家还有一英里时，他看见他的大女儿在路边等他。“我们得到消息说你今天晚上回来。”她叫道，冲进他的怀抱。

她是他回到家看见的第一样东西。他现在知道野兽要他付出的真正代价了。

然后呢？

我们都知道美女渐渐爱上了野兽。她渐渐爱上他，不论她的家人怎么想——因为他有魅力，有学识，有艺术修养，和一颗善感的心。

事实上，他是一个人，一直都是。他从来不是野猪或胡狼。那只是可怕的假象。

问题是，很难让她父亲相信这一点。

每当美女带她的新丈夫回家拜访，她父亲就会看见下巴和猪鼻，听见可怕的咆哮声。不论这位丈夫多么文明博学。

不论他多么善良。

父亲看见了一个野生动物，他的反感永难消除。

66

第十五个夏天的一个晚上，盖特冲我的卧室窗户扔鹅卵石。我伸出头看见他站在树林中间，他的皮肤在月光照射下闪闪发光，眼睛炯炯有神。

他在门廊的最下边等我。“我迫切需要巧克力，”他轻声说，“因而我要洗劫克莱尔蒙特的食品室。你来吗？”

我点点头，我们一起沿着狭窄的小道往上走，我们的手指相扣。我们绕行到克莱尔蒙特的侧门，那扇门通向装满网球拍和沙滩毛巾的衣物间。盖特一只手放在纱门上，转过身，把我拉到他身边。

他温暖的唇贴住我的。

我们的双手仍然紧握，就在这栋房子的门口。

一时间，地球上只有我们两个人，茫茫的苍天，未来和过去就在我们身边展开。

我们踮着脚穿过衣物间，进入厨房一侧的大食品室。这栋房子刚建造时，这是个老式的房间，里面有沉重的木抽屉和架子，用来放果酱和腌菜。现在这里储存曲奇饼、葡萄酒、薯片、根类蔬菜和矿泉水。

我们没有开灯，以免有人来到厨房，但我们确信只有外公在克莱尔蒙特就寝。他晚上什么也听不到。他白天还戴着助听器。

我们在翻找时，听见了声响。姨妈们和妈妈进入厨房，她们喝得太多了，话都说不利索，有些歇斯底里。“这就是人们杀害彼此的原因，”贝丝伤心地说，“我应该离开这个房间，免得做出让我后悔的事情。”

“你说的不是真的吧。”卡丽说。

“别告诉我我是什么意思！”贝丝叫道，“你有埃德。你不像我这么需要钱。”

“你已经把你的爪子伸到了波士顿的房子，”妈妈说，“不要再觊觎这座岛。”

“谁给妈妈办的葬礼？”贝丝怒声说道，“谁好几个星期陪在爸爸身边，谁履行的手续，跟送葬者交谈，写的感谢函？”

“你住的离他近，”妈妈说，“你就在那儿。”

“我要操持一个有四个孩子的家庭，还要保住工作，”贝丝说，“你们都不用。”

“一份兼职工作，”妈妈说，“如果让我再听到你说四个孩子，我非得尖叫不可。”

“我也要养家。”卡丽说。

"你们两个本来可以来待一两个星期，但你们把一切事情都留给我，"贝丝说，"我一年到头都必须处理爸爸的事情。每当他需要帮助，我就跑过来。他精神错乱、悲伤郁闷，都是我来应付。"

"别这么说，"卡丽说，"你不知道他给我打电话多么频繁。你不知道我必须忍受多少，就为了做他的好女儿。"

"他妈的我就直接说吧，我要那栋房子，"贝丝继续说道，似乎刚刚的话她没有听到，"那是我应得的。谁开车一次次送妈妈去看的医生？谁总是坐在她的床头？"

"那不公平，"妈妈说，"你知道我来过，卡丽也来过。"

"逗留一下而已。"贝丝生气地低声说。

"你不必做那些，"妈妈说，"没人要求你做。"

"没别人去做。你们让我做这些事，却从不感谢我。我被塞进卡德唐，它的厨房糟糕透顶。你们甚至从没去过那里，你们会为它的衰败程度感到惊讶。它几乎一文不值。妈妈死之前修缮了温德米尔的厨房，红门的浴室，而卡德唐还是原样——现在你们两个却在这里吝惜为我已经做的及继续要做的一切给予补偿。"

"卡德唐的图样是你自己应允的，"卡丽打断道，"你想要看风景。你拥有唯一的一栋海滨房，贝丝，你拥有爸爸全部的嘉许和关爱。我以为那对你应该足够了。天知道对于我们其他人很难得到这些。"

“你选择不要这些，”贝丝说，“你选择了埃德，你选择与他生活在一起。你选择每年夏天带盖特来这里，你明知道他不是我们中的一员。你知道爸爸是怎么想的，你不仅一直与埃德混在一起，你还带他的外甥来这里，神气活现地带他四处转悠，像个目空一切的小女孩拿着个遭禁的玩具。你一直知道会有什么后果。”

“闭嘴！”卡丽叫道，“闭嘴，闭嘴。”

一记耳光——卡丽扇了贝丝一嘴巴。

贝丝离开了。重重地摔上门。

妈妈也离开了。

盖特和我坐在食品室的地板上，手拉手。卡丽把玻璃杯放进洗碗机时，我们努力憋住呼吸，尽量不动。

67

几天后，外公把约翰尼叫进了克莱尔蒙特的书房，让约翰尼帮他一个忙。

约翰尼拒绝了。

外公说要是约翰尼不那么做，他会清空约翰尼的大学基金。

约翰尼说自己不会介入他母亲的感情生活，他可以勤工俭学读完社区大学。

外公给撒切尔打了电话。

约翰尼告诉了卡丽。

卡丽请盖特不要来克莱尔蒙特吃晚餐。“哈里斯十分恼火，”她说，“如果你在红门做点通心粉的话，对我们大家都更好，或者我可以让约翰尼给你带一盘食物过来。你明白，是吧？等到一切都解决好就行了。”

盖特不明白。

约翰尼也不明白。

我们所有说谎者都不再去吃饭。

很快，贝丝让米伦努力催促外公处理温德米尔的事情。她要带邦妮、利伯蒂和塔夫脱去他的书房跟他谈。米伦要说，他们是这个家的未来。约翰尼和卡迪的数学成绩上不了哈佛，而米伦可以。米伦有商业头脑，是外公代表的一切的继承人。约翰尼和卡迪太轻浮。看看这几个漂亮的小家伙：美丽的金发双胞胎，满脸雀斑的塔夫脱。他们是彻彻底底辛克莱家的人。

把这些话都说出来，贝丝说，但米伦不会这么做。

贝丝拿走了她的手机，她的笔记本电脑，还有她的零用钱。

米伦不会这么做。

有天晚上，妈妈问起我和盖特。“外公知道你们之间有事情。他不高兴。”

我告诉她我在恋爱中。

她说别犯傻。“你在拿你的未来冒险，”她说，“我们的房子。你的教育。为了什么？”

“爱。”

“夏天的恋情。别理那个男孩。”

“不。”

“爱不会持久，卡迪。你知道。”

“我不知道。”

“唉，相信我，爱不持久。”

“我们不是你和爸爸，”我说，“我们不是。”

妈妈交叉起双臂。“别犯傻，卡登丝。看到这个世界的真实样子，不是你想象中的样子。”

我看着她。我美丽高挑的母亲，漂亮的卷发，冷酷尖刻的嘴角。她的血管从不会裂开。她的心脏从不会无助地跳落到草地上。她从不会融入水坑。她是个正常人。始终都是。无论如何。

“为了我们家的发达，”她最后说道，“你必须跟他分手。”

“我不。”

“你必须。分手后，确保外公知道。告诉他这没什么，告诉他以前也没什么。告诉他不用再担心那个男孩，接着跟他说说哈佛，网球队，和你面前的未来。你明白吗？”

我没有这么做，以后也不会。

我跑出屋子，冲进盖特的怀抱。

我的血流在他身上，他不在意。

那天深夜，米伦、盖特、约翰尼和我来到克莱尔蒙特后面的工具房。我们找到了锤子，只有两把锤子，于是盖特拿了把扳手，我拿了把沉重的园艺剪刀。

我们聚集起克莱尔蒙特的象牙鹅、温德米尔的象、红门的猴子以及卡德唐的蟾蜍。我们秘密地把它们拿到码头，用锤子、扳手和剪刀把它们砸碎，直到象牙制品成为粉末。

盖特从冰冷的海水中提来一桶水，把码头冲洗干净了。

68

我们思考。

我们讨论。

我们说，假使

在另一个宇宙，

一个分裂的现实，

上帝伸出手指，闪电击中克莱尔蒙特？

假使

上帝把它化作一片火海？

因此他可以惩罚贪婪的人、小气的人、有偏见的人、不动感情的人、刻薄的人。

他们会为自己的行为感到后悔。

之后，重新学会彼此相爱。

打开他们的心扉、开启他们的血管，抹去他们的假笑。

成为一个家庭，守护一个家庭。

我们认为这不是宗教性的，而是惩罚，通过火焰得到净化。

或者两者都是。

69

第二天，第十五个夏天的七月下旬，他们在克莱尔蒙特吃午餐。与所有其他午餐一样，摆在大桌子上。只是泪水更多。

声音大得让我们说谎者从红门走过来，站在花园底下倾听。

“我每天都必须去赢取你的爱，爸爸，”因为醉酒，妈妈的声音含糊不清，“大部分日子我没能成功。这他妈的不公平。卡丽得到了珠宝，贝丝得到了波士顿的房子。贝丝得到了温德米尔。卡丽有约翰尼，你会把克莱尔蒙特给他，我知道你会的。我会一无所有，一无所有，即使卡迪才应该是那一个。第一个，你老是这么说。”

外公从桌子首席站起来。“佩内洛普。”

“我会把她带走，你听见没？我会把卡迪带走，你再也看不到她。”

外公的声音在院子里回荡，“这是美国，”他说，“你似乎不明白，彭妮，让我解释一下。在美国，我们是这么运作的：我们拼命工作去得到我们想要的东西，获取成功。我们不接受否定的答案，我们锲而不舍的努力会得到回报。威尔，塔夫脱，你们在听吗？”

小男孩们点点头，下巴在颤抖。外公继续说道：“我们辛克莱家族是一个古老的上层家族。这是值得骄傲的。我们的传统和观念形成了后代站立的基石。这座岛是我们的家，一如它是我父亲和我祖父的家。而你们三个，离婚、家庭破碎、藐视传统、缺乏职业道德，你们什么也没干，只是令一个把你们好好养大的老人失望。”

“爸爸，拜托。”贝丝说。

“别说话！”外公怒喝道，“你们不能指望我容忍你们无视这个家族的传统，还给你们和你们的孩子提供经济保障。你们不能，你们都不能指望这个。日复一日，我看到了你们的所作所为。我不会再容忍下去。”

贝丝哭了起来。

卡丽抓住威尔的胳膊肘，朝码头走去。

妈妈把玻璃酒杯砸向克莱尔蒙特房屋一侧。

70

“之后发生了什么？”我问约翰尼。大清早，我们仍然躺在卡德唐的地板上。第十七个夏天。

“你不记得？”他说。

“不记得。”

“大家开始离开这座岛。卡丽带威尔去了埃德加敦的一个宾馆，并且请我和盖特一收拾好就去找她。员工们八点钟离开了。你母亲去马撒葡萄园见她那位朋友——”

“艾丽斯？”

“没错，艾丽斯过来接她，但你不愿意离开，最后她一个人走了。外公去了大陆。然后我们决定放火。”

“我们计划过。”我说。

“我们实施了。我们说动贝丝坐大船带所有小家伙们去马撒葡萄园看电影。”

约翰尼说的时候，记忆成形。我填补进他没有说出来的细节。

“他们离开后，我们喝掉了他们存在冰箱的酒，”约翰尼说，“开了四瓶酒。盖特非常愤怒——”

“他没错。”我说。

约翰尼转过脸，又对着地板说起来。“因为他不会回来了。如果我妈妈跟埃德结婚，外公会跟他们断绝关系。如果我妈妈离开埃德，盖特与我们家再没有关联。”

“克莱尔蒙特似乎是一切错误的象征。”这是米伦的声音。她静悄悄地走进来，我都没有听到。她躺在约翰尼旁边，抓住他的另一只手。

“父权制的所在。”盖特说。我也没有听到他进来的声音。他在我旁边躺了下来。

“你真是个笨蛋，盖特，”约翰尼温和地说，“你老是说父权制。”

“那正是我的意思。”

“无论何时你都偷偷用上它。面包上的父权制。我裤子上的父权制。柠檬汁上的父权制。”

“克莱尔蒙特好像是父权制的所在，”盖特重复道，“没错，我们是愚蠢的醉鬼，我们认为他们会让这个家四分五裂，我再也不会来这里。我们以为如果这栋房子没了，里面的全部文件和资料也没了，他们为之争吵的所有东西也没了，这种权力也就没了。”

“我们会成为一个家庭。”米伦说。

“这就像一种净化。”盖特说。

“她只记得我们放了一场火。”约翰尼说,他的声音突然响亮起来。

“还有另外一些事情,”我补充道，坐起来，看着晨光中的说谎者们,“你告诉我这些时，我想起了一些事情。”

“我们在告诉你放火之前发生的所有事情。”约翰尼说着，声音仍然宏亮。

“是的。”米伦说。

“我们放了一把火,”我惊奇地说道,“我们没有哭泣悲恸，反之我们做了一些事情。我们做了些改变。”

“可以这么说。”米伦说。

“你在开玩笑吧？我们把那个该死的宫殿烧为了平地。”

71

姨妈们和妈妈跟外公吵架后，我哭了。

盖特也哭了。

他要离开这座岛，我再也见不到他。他再也见不到我。

盖特，我的盖特。

我以前从没和别人一起哭过。

他哭得像个男人,不像个男孩。不像是他受挫或是不能自主行事，而像是人生多苦多难。像是他的伤口无法愈合。

我想替他治愈伤口。

我们两人跑到小海滩。我们坐在沙地上，我紧紧抱住他，头一次他无话可说。没有分析，没有问题。

最后我说

假使

假使

我们自己掌控一切?

盖特说

怎么做?

我说

假使

假使

他们不再争吵?

我们要挽回一些东西。

盖特说，

是的。你、我、米伦和约翰尼，没错，我们可以。

不过当然我们总能见面，我们四个。

明年我们可以开车。

总是可以通过电话联系。

但是这儿，我说。现在。

没错，这儿，他说。现在。

我说

假使

假使

我们能够不再是美好的辛克莱家庭，而只是一个家庭？

假使我们不再计较不同的肤色、不同的出身，只是相爱？

假使我们可以迫使大家去改变？

迫使他们。

你想要扮演上帝，盖特说。

我想要采取行动，我说。总是可以通过电话联系，他说。

可这儿呢？我说。现在。

没错，这儿，他说，现在。

盖特是我的爱人，最初和唯一的爱人。我怎么能够让他走？

他是一个不会假笑却经常微笑的人。他把我的手腕裹进白纱里，相信伤口需要关注。他在他的手上写字，问我的想法。他的头脑探索不止，永不松懈。他不再相信上帝，但他仍然希望上帝能帮助他。

现在他是我的，我说我们不应让我们的爱受到威胁。

我们不应让这个家分裂。

我们不应接受能改变的罪恶。

我们应该起来反抗，不是吗？

没错。我们应该。

我们甚至可以成为英雄。

盖特和我跟米伦和约翰尼谈话。

劝说他们采取行动。

我们一遍遍告诉彼此：做你害怕做的事情。

我们告诉彼此。

一而再再而三。

我们告诉彼此，我们是对的。

72

计划十分简单。我们去找放在汽艇库里的备用气罐。衣物间里有报纸和薄纸板：我们可以把这些废品堆起来，浇上汽油。我们还会把木地板浇上汽油。退后一步，点燃一卷纸巾然后扔出去。很简单。

如果可能的话，我们会点燃每一层，每个房间，把克莱尔蒙特化为灰烬。盖特在地下室，我在一层，约翰尼在第二层，米伦在顶层。

“消防队来得真晚。”米伦说。

“两个消防队，”约翰尼说，“伍兹霍尔和马撒葡萄园。”

“我们料想到了。”我明确说道。

“我们原计划打电话寻求帮助，”约翰尼说，“当然要有人打电话，不然看上去会像纵火。我们会说我们都在卡德唐看电影，要知道四周都是树。除非上到屋顶，否则看不到别的房子。没人打电话过去是说得通的。”

“那些消防队主要是志愿者，”盖特说，“谁也没有线索。木质老房。高度易燃物。”

“要是姨妈们和外公怀疑我们，他们绝不会告发，”约翰尼补充道，“这一点可以确定。”

当然他们不会告发。

这儿没人是罪犯。

没人是瘾君子。

没人是失败者。

我为我们做过的事情感到兴奋。

我的全名是卡登丝·辛克莱·伊斯门，与我成长其中的美好家庭的期望大相径庭的是，我是个纵火犯。

幻想家，女英雄，叛逆者。

改变历史的那种人。

罪犯。

但如果我是罪犯，我是瘾君子吗？我是失败者吗？

我的大脑和往常一样玩弄着转折的含义。“我们做到了。”我说。

“看你怎么想了。”米伦说。

“我们拯救了这个家。他们重新开始了。”

“卡丽姨妈夜晚在岛上游荡，”米伦说，“我妈妈擦洗干净的水槽直到她的双手破皮。彭妮看着你睡觉，写下你吃的食物。她们大量喝酒，醉到眼泪从面颊滚落。”

“你什么时候在新克莱尔蒙特看到这些的？”我说。

“我有时去那里，”米伦说，“你以为我们解决了一切，卡迪，但我认为那——”

“我们在这里，”我坚持说，“没有那场火，我们不会在这里。我要说的就是这个。”

“好吧。”

“外公以前握有那么多权力，”我说，“现在不是。我们改变了世上的一桩恶事。”

我更好地理解了之前不清楚的事情。我的茶是热的，说谎者们是美好的，卡德唐是美好的。墙上有污迹没关系。我有偏头痛，或者米伦不舒服没关系。威尔做噩梦，盖特讨厌自己没关系。我们犯下了理想的罪行。

“外公缺乏力量是因为他精神错乱，”米伦说，“如果可以，他仍然会折磨大家。”

“我不同意，”盖特说，“新克莱尔蒙特似乎是对他的惩罚。”

“什么？”她问道。

“自我惩罚。他给自己建了一个家，但那不是家，他故意让那里不舒服。”

“他为什么要那么做？”我问。

“你为什么赠送出你所有的东西？”盖特问。

他盯着我。他们全盯着我。

“做慈善，”我答道，“做点好事。”

一阵怪异的沉默。

“我讨厌乱七八糟的东西。”我说。

没人发笑。我不知道这场谈话怎么会谈到我身上来。

很长时间说谎者们没有说话。过了一会儿，约翰尼说，“别着急，盖特。”盖特说，“很高兴你记起了那场火，卡登丝。”我说，“哎，一部分。”米伦说她不舒服，去睡觉了。

男孩们和我躺在厨房地板上，又盯着天花板看了一会儿，直到我有些尴尬地意识到，他们两人都睡着了。

73

我发现妈妈和金毛猎犬们在温德米尔的门廊。她在用钩针编织淡蓝色的羊毛围巾。

“你总是在卡德唐，”妈妈抱怨道，“总在那里不好。卡丽昨天去那里找东西，她说那里脏得很。你在那里做什么？”

“没什么。抱歉那里很乱。”

“如果它真的很脏，我们不能让金妮去打扫。你知道，对吧？对她不公平。要是贝丝看到了，她会昏过去的。”

我不想任何人来卡德唐。我只想它成为我们四个的地盘。“别担心，”我坐下来，拍了拍波什可爱的黄脑袋，“听着，妈妈？”

“什么？”

“你为什么不让家里人跟我谈论那场大火？”

她放下纱线，看了我很长时间。“你记起那场大火了？”

“昨天晚上，这场大火涌入我的脑海。我不记得全部，但是，我记起了那场大火。我记得你们吵架，大家离开了小岛。我记得我跟盖特、米伦和约翰尼在这里。”

“你还记得别的吗？”

“燃烧时天空的样子。浓烟的味道。”

如果妈妈认为我有什么困惑，她永远不会问我。我知道她不会。

她不想知道。

我改变了她人生的轨迹。我改变了这个家族的命运。说谎者们和我。

做这样的事很可怕，也许，但这是件了不起的事。我没有坐在一旁抱怨不休。我是我妈妈永远不会了解的更有力量的人。我冒犯了她，也帮了她。

她抚摸我的头发。如此让人腻烦。我往后退。“就这些？”她问道。

“为什么没人跟我说这件事？”我重复道。

“因为——因为——”妈妈停下来，寻找合适的词语，“因为你的偏头痛。”

“因为我头疼，因为我记不得我的事故，我没法承受克莱尔蒙特被烧毁了这个事实？”

“医生告诉我不要给你增添压力，”她说，“他们说那场大火也许会引发头痛，不管是吸入烟尘还是——还是恐惧。”她胆怯地说完了。

“我不是个孩子，”我说，“我完全可以知道我们家的基本情况。整个夏天我一直努力记起我的事故，努力回忆之前发生过什么事情。为什么不告诉我，妈妈？”

“我告诉你了。两年前。我一次又一次告诉你，但你总是第二天就忘了。我跟医生说起时，他说我不应该那样让你心烦，不应该逼迫你。”

“你跟我住在一起！”我叫道，“你自己的判断还比不上那个对我没有丝毫了解的医生？”

“他是个专家。”

“什么让你认为我想要整个大家庭对我保守秘密——就连双胞胎，就连威尔和塔夫脱，老天啊——而不想知道发生了什么事情？什么让你认为我脆弱到不能知道简单的事实？”

“对我来说，你就那么脆弱，”妈妈说，“老实说，我不确定可以应付得了你的反应。”

“你没法想象这有多么侮辱人。”

“我爱你。”她说。

我再也没法看着她那张充满怜悯、自我辩白的脸。

74

我打开门时，米伦在我房间。她坐在我桌边，手放在我的笔记本电脑上。

“不知我是否可以读一读你去年发给我的邮件，”她说，“你电脑里有吗？”

“有。”

“我从来没读过，”她说，“这个夏天开始的时候，我假装读过，但我从来没点开邮件。”

“为什么？”

“就是没有，”她说，“我认为没什么要紧，可现在我认为要紧。看！”她让自己的声音轻快起来，“为了看邮件，我甚至离开了那栋房子！”

我尽量忍住怒火。“不回信我可以理解，可为什么你看都不看我的邮件？”

“我知道这么做很糟糕，”米伦说，“我是个可怕的姑娘。拜托，现在能让我读读吗？”

我打开电脑。搜索之后，找到了写给她的所有邮件。

有二十八封。我越过她的肩头读着这些邮件。大部分是俏皮、好玩的邮件，不像是一个有偏头痛的人写的。

米伦！

明天我就跟我不忠的父亲去欧洲，你知道，他非常无趣。祝我好运，我真希望跟你、约翰尼，甚至盖特在比奇伍德过夏天。

我知道，我知道。我应该想开点。

我想开了。

想开了。

去马贝拉见英俊的西班牙男孩，就是这样。

不知道我能否每到一个国家，就让爸爸吃吃这个国家最令人作呕的食物，作为他去科罗拉多的补赎。

我确信我能。如果他真的爱我，他会吃青蛙、动物腰子和巧克力蚂蚁。

卡登丝

大部分邮件都是这样的。不过有几封邮件既不俏皮，也不好玩。这些邮件真实而令人同情。

米伦。

弗蒙特的冬天。阴郁。沉闷。

我睡觉时，妈妈一直看着我。

我的头疼得没完没了。我不知道怎样做才能让这种情况终结。药不起作用。有人在用一把斧头劈开我的头顶，一把肮脏的斧头，没法在颅骨内留下干净利落的切口。挥舞它的人不得不乱砍，一再砍下来，但并不总是刚好在同一个地方。我有多处伤口。

我有时梦到挥舞这把斧子的人是外公。

另外一些时候，那个人是我。

另外一些时候，那个人是盖特。

抱歉这听起来很疯狂。我敲下这些时，手在颤抖，屏幕太亮。

有时我想去死，我的头太疼了。我一直向你展现的都是我最阳光的思绪，从来没说起这些黑暗的思绪，尽管自始至终这些思绪一直存在。现在我说出来了。即使你不回信，知道有人听到了，那对于我来说也能聊以自慰。

卡登丝

我们读完了所有二十八封邮件。读完后，米伦亲吻了我的面颊。“我都没法说抱歉，”她告诉我，“甚至没有一个词可以形容我现在的心情有多么糟糕。”

接着她走了。

75

我把笔记本电脑拿到床上，创建了一个文档。我取下方格纸记录，把这些和我所有的新记忆快速地打下来，错误连连。想不起来的地方，我用猜测填充。

辛克莱社会化和快餐中心。

你再也见不到你的男朋友。

他想要我离你远点。

我们喜欢温德米尔，是吧，卡迪？

卡丽姨妈，穿着约翰尼的防风夹克哭泣。

盖特在网球场抛球给狗。

哦，天哪，哦，天哪，哦，天哪。

那些狗。

倒霉的狗。

法蒂玛和菲利普王子。

它们在那场大火中丧生了。

我现在知道了，这是我的过错。它们非常顽皮，不像妈妈训练过的波什、格伦德尔和波皮。法蒂玛和菲利普王子吃掉岸上的海星，再把它们吐在起居室。它们抖落蓬乱毛发上的水，狼吞虎咽地吃掉人们的野餐，把飞盘嚼成不能用的塑料块。它们喜欢网球，会跑到网球场叼起四周留下来的球。让它们坐下时，它们不会坐。它们在桌边举起前脚乞求。

着火时，法蒂玛和菲利普王子在一间客房里，克莱尔蒙特没人，或者在晚上时，外公总是把它们关在楼上，免得它们啃人们的靴子，对着纱门狂吠。

外公在离开岛之前，把它们关了起来。

我们没想起它们。

我杀死了这些狗。我跟法蒂玛和菲利普王子生活在一起，我知道它们在哪里睡觉。其他的说谎者们并不考虑这些金毛猎犬——至少，不多。不像我那样。

它们被烧死了。我怎么能把它们忘了？我怎么能那么沉迷于我愚蠢的犯罪活动，兴奋，对姨妈们和外公的愤怒——

法蒂玛和菲利普王子，着火了。它们嗅着发热的门，在浓烟中呼吸，满怀希望地摇尾巴，吠叫，等待有人过来把它们救走。

对这些可怜的、淘气的狗来说，这是多么可怕的死亡。

76

我跑出温德米尔。外面很黑，快到吃晚饭时间了。想到浓烟翻滚进来时，那两只狗盯着门渴望得到救援，我的悲伤不可抑制，眼泪不由落下来，脸塌陷下去。

去哪里？我没法面对卡德唐的说谎者们。红门里也许有威尔和卡丽姨妈。这座岛太他妈小了，真的，没地方可去。我被困在这座岛上，我就在这座岛上杀死了那两只可怜的狗。

今天早上我的虚张声势，

那种力量，

理想的犯罪，

拆掉父权制，

我们说谎者保存愉快恬静的夏天，让它更好的意愿，

我们通过毁掉某个部分来让我们家维系在一起的意愿

——全都是妄想。

两条狗死了，

那可爱的笨狗，

我本来可以救它们，

幼稚的狗，当你给它们一点汉堡包，甚至叫它们的名字时，它们的脸上就放出异彩。

它们喜欢坐船，

爪子上沾满泥整天四处乱跑。

什么样的人采取行动时，不会考虑一下谁会被关在楼上的房间，它们信赖人类保证它们的安全，爱它们?

我站在温德米尔和红门中间的小路上，反常地无声啜泣。我的脸上满是泪水，我的胸部一阵痉挛。我跌跌撞撞往回走。

盖特在台阶上。

77

一看到我，他就跳起来抱住我。我趴在他的肩膀上抽泣，胳膊塞到他的夹克衫下面，环住他的腰。

他没问出了什么事，直到我告诉他。

“那两只狗，”我最后说道，“我们杀死了那两只狗。”

他沉默了一会儿，然后说：“是啊。”

直到我的身体不再颤动，我才再开口。

“我们坐下来吧。”盖特说。

我们在门廊的台阶上坐了下来。我们的头靠在一起。

“我爱那些狗。”我说。

“我们都爱。”

“我——”我说不出话来，“我不能再说这件事，不然我又要哭了。”

“好的。”

我们又坐了一会儿。

“这就是全部吗？”盖特问。

“什么？”

“你就为这个哭吗？”

“但愿没有别的了。”

他沉默了。

仍然沉默。

“噢，该死！还有别的。”我说，我的心感到空虚冰冷。

“是啊，”盖特说，“还有别的。”

“还有些人们不愿意告诉我的事情。妈妈宁愿我忘记的事情。”

他思考了一会儿。“我们在跟你说，但你听不到。你病了，卡登丝。”

“你们没有直接告诉我。”我说。

“不。”

“究竟为什么不？”

“彭妮说这样最好。并且——嗯，我们都在这里，我相信你会记起来的。”他把手从我肩上拿下来，抱住自己的膝盖。

盖特，我的盖特。

他沉思默想，满腔热情，雄心勃勃，像浓咖啡。我爱他棕色的眼睑，光滑黝黑的皮肤，他噘起的下嘴唇。他的大脑。他的大脑。

我吻他的脸。“我记起了很多我们的事情，”我告诉他，“我记起在一切乱套之前，你和我在衣物间门口亲吻。你和我在网球场谈论埃德向卡丽求婚的事情。在圆形环道那块平坦的岩石上，那里没人能看见我们。在小海滩，谈论放火的事情。”

他点点头。

“可我仍然记不起出了什么差错，”我说，“为什么我受伤时，我们不在一起。我们吵架了吗？我做了什么吗？你回到拉克尔身边了吗？”我没法看着他的眼睛，“我应该得到一个诚实的回答，即使现在我们之间的关系不会持久。”

盖特的脸塌陷了下去，他把脸埋进手里。“我不知道该做什么，”他说，“我不知道我应该做什么。”

“跟我说说。”我说。

“我不能跟你待在这里，”他说，“我得回卡德唐。”

“为什么？”

“我不得不，”他说，站起身走了，接着他停了下来，转过身，“我搞砸了一切。对不起，卡迪。我非常非常抱歉。”他又哭了，“我不应该吻你，不应该给你做轮胎秋千，不应该送你玫瑰花。我不应该跟你说你有多美。”

“我希望你这么做。”

“我知道，但我应该离开。真糟糕我做了那些。对不起。”

“回来这里。”我说，他没有动，我走向他。把我的手放在他的脖子上，脸贴住他的脸。我使劲吻他，好让他知道我是认真的。他的嘴非常柔软，他是我认识的最好的人，我此生认识的最好的人，不论我们之间发生过什么糟糕的事情，不论之后会发生什么事情。“我爱你。”我轻声说。

他往后退。“我要说的就是这个。对不起。我就是想见你。”

他转身，消失在黑暗中。

78

马撒葡萄园的医院。第十五个夏天，我出事之后。

我躺在床上，盖着蓝色被子。你以为医院被单是白色的，但这些是蓝色的。房间很热。我一只胳膊上打着吊瓶。

妈妈和外公低头盯着我。外公拿着盒埃德加敦的软糖当礼物。

他记得我喜欢埃德加敦的软糖，让人感动。

我塞着耳机听音乐，因而我听不见大人们在说什么。妈妈在哭。

外公打开软糖，拿出一颗给我。

我听的歌是：

> 我们的青春虚度了
>
> 我们不应该虚度
>
> 记住我的名字
>
> 因为我们创造了历史
>
> 啦啦啦啦，啦啦啦

我抬起手取下耳机。我看见那只手缠着绷带。

我的两只手都缠着绷带。

还有我的脚。我能感觉到脚上的绷带，就在蓝被子下面。

我的手和脚缠着绷带，因为它们被烧伤了。

79

从前有一个国王，他有三个漂亮的女儿。

不，不，等等。

从前有三只熊，它们住在森林中的一间小屋子里。

从前有三只公羊，它们住在一座桥边。

从前有三个士兵，战争结束后，他们一起踏着重重的步伐走在路上。

从前有三只小猪。

从前有三兄弟。

不，是这样的。这才是我要的变化。

从前有三个漂亮的孩子，两个男孩和一个女孩。每个孩子出生时，父母亲心花怒放，上帝心花怒放，就连仙子们也心花怒放。仙子们来到受洗宴会，送给孩子们神奇的礼物。

生机勃勃，精力十足，具有黠智。

沉思默想，满腔热情，雄心勃勃，像浓咖啡。

充满好奇，如蜜糖，如细雨。

但是，还有一个女巫。

总是有个女巫。

这个女巫和漂亮的孩子们一样大，他们慢慢长大，她嫉妒那个女孩，她也嫉妒那两个男孩。他们获得了仙子的所有礼物，而女巫在自己的受洗宴会上却没有得到这些礼物。

最大的男孩身体强壮、头脑灵活，能干而英俊。尽管如此，他却极其矮小。

第二个男孩勤奋好学，善良诚恳。尽管如此，他是个局外人。

那个女孩风趣、宽厚、有道德。尽管如此，她感到无力。

那个女巫，她没有诸如此类的东西，因为她的父母激怒了仙子。她没有得到任何礼物。她很孤独。她唯一的力量是黑暗可怕的魔法。

她混淆了清苦和慈善，赠送出自己的物品，而没有真正地做些好事。

她混淆了生病和表现勇敢，遭受痛苦的同时认为她应该为此得到表扬。

她只拥有魔法，她用魔法去毁坏她最羡慕的东西。在他们十岁生日那天，她挨个拜访了每个少年，但没有公然伤害他们。某个善良仙子的保护——丁香仙子，也许——阻止了她这么做。

取代公然伤害，她所做的是，诅咒他们。

“当你们十六岁的时候，”妒火中烧之下，女巫宣布道，“当你们十六岁的时候，”她告诉这些漂亮的孩子们，“你们会在纺锤上刺破手指——不，你们会划亮一根火柴——是的，你们会划亮一根火柴，在火焰中丧生。”

这个诅咒让孩子们的父母害怕，他们试图避免厄运。他们搬到遥远的地方，来到一座向风岛屿上的城堡。一座没有火柴的城堡。

那里，他们肯定是安全的。

那里，女巫肯定永远找不到他们。

可她找到了他们。这些漂亮的孩子十五岁，就在他们十六岁的生日之前，他们紧张的父母没有料到的是，妒忌心重的女巫化身为一个金发少女，将她那让人不快的、可恨的自己带进他们的生活中。

少女和漂亮孩子们交上了朋友。她亲吻他们，带他们乘船外出，给他们软糖，告诉他们故事。

接着她给他们一盒火柴。

孩子们着了迷，因为快十六岁了，他们从没见过火。

来吧，划，女巫笑着说，火很美。不会发生什么坏事。

来吧，她说，火焰会净化你们的灵魂。

来吧，她说，你们是独立的思考者。

来吧，她说，如果不采取行动，我们过的是什么样的生活？

他们听了。

他们从她那里拿过火柴，点亮它们。女巫看着他们的美丽燃烧，

他们的活力，

他们的智慧，

他们的风趣，

他们的坦率，

他们的魅力，

他们对未来的梦想。

她看着一切消失在浓烟中。

W e
w e r e
l i a r s

〔第五部分〕

CHAPTER 05

第十五个夏天的真相

我坐在温德米尔的台阶上，仍然盯着盖特在夜色中消失的方向，忆起这些，就像重新经历了一遍。对我做过什么的认识像一场雾进入我的胸腔，冰冷、黑暗、蔓延开来。我皱起眉头，俯下身。冰冷的雾从我的胸腔穿过背部，上达我的脖颈。它充斥我的大脑，下达我的脊柱。

寒冷、寒冷、悔恨。

80

这是有关美好的辛克莱家族的真相。起码,这是外公知道的真相。他小心地不让报纸披露的真相。

两年前的一个晚上，一个炎热的七月晚上。

盖特威克·马修·帕蒂尔，

米伦·辛克莱·谢菲尔德，

以及

约翰尼·辛克莱·丹尼斯，

丧生于一场房屋失火，这场火灾被认为是一罐汽艇燃料在衣物间翻倒而引起的。在附近的消防队赶到现场之前，那栋房子就被烧为了灰烬。

发生火灾时，卡登丝·辛克莱·伊斯门在小岛上，但没有注意到火，直到火势蔓延开来。她意识到有人和动物困在屋内时，大火让她没法进入。她试图营救，手和脚都烧伤了。接着她跑到岛上的另一栋房子里，打电话给了消防队。

救援最终抵达时，人们在小海滩发现了伊斯门小姐，一半在海水里，蜷缩成一团。她没法回答发生了什么，脑部似乎受了伤。事故之后很多天里，她不得不大量服用镇静剂。

哈里斯·辛克莱，岛的主人，拒绝对火灾的起因进行正式调查。周围的很多树都毁了。

人们在他们的家乡坎布里奇和纽约为

盖特威克·马修·帕蒂尔，

米伦·辛克莱·谢菲尔德，

以及

约翰尼·辛克莱·丹尼斯，

举行了葬礼。

卡登丝·辛克莱·伊斯门身体欠佳，未能出席。

接下来的那个夏天，辛克莱家族回到了比奇伍德岛。他们肝肠寸断，悲痛之下，大量饮酒。

之后他们在老房子的灰烬之上建了栋新房子。

卡登丝·辛克莱·伊斯门不记得有关火灾的任何事情，不记得它曾发生过。她的烧伤很快治愈，但她对于之前那个夏天的事情表现出选择性遗忘。她执意相信她是在游泳时伤了头。医生们推测她的偏头痛是由下意识的悲伤和愧疚造成的。她接受了重度药物治疗，身心都极其脆弱。

医生们也建议卡登丝的母亲停止对这场悲剧进行解释，如果卡登丝自己记不起来的话。每天都听一遍创伤经历，会让人受不了。让她自己记起来。她在经过了大量时间疗愈之前,不应该回到比奇伍德岛。事实上，应该采取任何措施让她在出事后的那一年远离那座岛。

卡登丝表现出了一种令人忧虑的欲望，想要摆脱所有不必要的东西，甚至具有情感价值的物品，似乎在为过去的罪行进行补赎。她染黑了头发，穿着上变得十分简单。对于卡登丝的行为，她母亲寻求了专业建议，被告知这是悲痛过程的正常部分。

出事后的第二年，这个家开始恢复正常。在缺席很多课程后，卡登丝再次上学。最后，女孩表达了想回到比奇伍德岛的愿望。医生们和其他家庭成员同意了：这么做也许对她有益。

在岛上，也许，她会完成疗愈。

81

记住，别把脚弄湿了，也别把衣服弄湿了。

把亚麻橱柜、毛巾、地板、书和床浸湿。

记住，汽油罐离引火物远一些，这样你能抓住它。

看着它着火，看着它燃烧。然后跑开。用厨房的楼梯井，从衣物间门口出来。

记住，拿着汽油罐，把它还回船库。

在卡德唐会面。我们会把衣服放进洗衣机，换衣服，然后去看火焰，再打电话给消防队。

这是我对他们说的最后的话。约翰尼和米伦拿着汽油罐和引火用的装着旧报纸的袋子去了克莱尔蒙特的上面两层。

在盖特去地下室之前，我吻了他。“在一个更好的世界再见。”他对我说，我笑了。

我们有点醉了。我们喝掉了姨妈们离开岛之前剩下来的酒。酒精让我感觉头晕而有力量，直到我独自站在厨房里。我感到晕头转向，想呕吐。

这栋房子冷飕飕的，似乎就该毁掉，里面装满了姨妈们争斗的物品。艺术品，瓷器，相片。它们给家庭的愤怒火上浇油。我用拳头击打着厨房里那幅妈妈、卡丽和贝丝小时候，对着镜头咧嘴而笑的照片。照片上的玻璃碎了，我踉跄着往后退。

酒让我的头昏昏沉沉，我不习惯。

一手拿着汽油罐，一手拿着装着引火物的袋子，我决定赶快把事情做完。我先把厨房浇上汽油，然后是食品储藏室。我把餐厅浇上汽油，把汽油往起居室沙发上浇时，我意识到我应该从离衣物间最远的地方开始。那是我们的出口。我应该最后给厨房浇汽油，这样我跑出去时脚不会被汽油弄湿。

真笨。

从起居室通往前廊的正门已经浇湿了，不过后边还有一扇小门。它在外公的书房旁边，通向去往员工楼的小路。我可以用那扇门。

我把部分过道浇上了汽油，接着是工艺室，毁掉外婆漂亮的印花棉布和七彩纱线，让我有点于心不忍。她肯定对我在做的事情表示憎恶。她爱她的布，她的老缝纫机，她精致的物品。

真笨。我把我的平底鞋浸上了汽油。

好吧。保持平静。我会穿着它们直到一切完成，然后在我跑出去时，把它们扔进身后的大火。

在外公的书房，我站在桌子上，把汽油溅在直达天花板的书架上，把汽油罐举得离我远远的。还剩下不少汽油，这是我最后一个房间，因而我在书上浇了很多。

接着我把地板淋上汽油，把引火物堆积在地板上，退到通向后门的小门厅。我踢掉鞋，扔到杂志堆上。我走到一块干地板上，把汽油罐放下。从我的牛仔裤口袋里拉出纸板火柴，点燃我的那卷纸巾。

我把燃烧着的纸卷扔进引火物，看着它点燃。它着了，火势越来越大，渐渐蔓延。透过书房的双宽门，我看见一列火焰呼啸着经过一侧的过道进入另一侧的起居室。沙发亮了起来。

接着，那些书架就在我面前燃烧起来，浸过汽油的纸比任何东西燃烧得都快。天花板突然烧着了。我没法看向别处。火焰太可怕了。令人毛骨悚然。

有人惊叫起来。

再次惊叫。

声音就来自我上面的房间，一间卧室。约翰尼在第二层忙活。我点燃了书房，书房比任何地方烧得都快。火向上蹿，约翰尼还没有出去。

哦不，哦不，哦不。我向后门猛扑过去，但门上了锁。我的手因为沾上了汽油而滑脱，金属已经很热了，我转动门闩——一，二，三——但有地方不对劲，门一动不动。

又一声惊叫。

我又试了下门闩。失败了。放弃。

我用手捂住嘴巴和鼻子，跑过燃烧的书房，经过燃烧的过道来到厨房。厨房还没有烧起来，谢天谢地。我穿过潮湿的地板，朝衣物室的门跑去。

跌跌撞撞、打滑、摔倒，在汽油坑里浸湿自己。

跑过书房时，我牛仔裤的下脚烧着了。火焰舔舐着厨房地板上的汽油，猛地窜向细木工家具和外婆的明亮洗碗巾。火窜到我面前的衣物间出口，我的牛仔裤也烧着了，从膝盖到脚踝。我穿过火焰，猛扑向衣物间的门。

“出去！”我喊道，虽然我怀疑没人能听到我。“现在出去！”

到外面后，我扑向草地，在草地上打滚直到我裤子上的火焰熄掉。

我可以看见克莱尔蒙特最上面的两层受热发光，我自己的一层完全燃烧着。地下室那层，我不知道。

“盖特？约翰尼？米伦？你们在哪？”

没有回答。

抑制住惊慌，我告诉自己他们肯定已经出来了。

平静下来。没事的。肯定。

“你们在哪儿？”我再次喊道，跑了起来。

再一次，没有回答。

他们有可能在船库，正放下他们的汽油罐。并不远，我边跑边尽可能大声地叫他们的名字。我的赤脚踩在木板步道上，发出奇怪的回响。

那扇门关着。我猛地把它拽开。“盖特？约翰尼？米伦！”

没人在那里，不过他们可能已经在卡德唐，不是吗？琢磨着我怎么花了这么久。

从船库有一条小路经过网球场到卡德唐。我又跑了起来，小岛在黑暗中异常安静。我一再告诉自己：他们会在那里。等我。担心我。

我们会大笑，因为我们都是安全的。我们将在冰水里浸泡烧伤的伤口，感觉足够幸运。

我们会的。

然而我到那里时，我看见那栋房子一片黑暗。

没人在那里等待我。

我飞跑回克莱尔蒙特，它在燃烧，从底部向顶部。角楼烧着了，卧室烧着了，地下室的窗户发出橙色的光芒。一切灼热。

我跑向衣物室入口，拉开门。浓烟翻腾而出。我脱下浸了汽油的毛衣和牛仔裤，透不过气来，我塞住嘴，挤了进去，进入厨房楼梯井，往地下室走。

台阶下到一半，有一堵火墙。火墙。

盖特没有出来。他不会出来了。

我折回来，往上跑向约翰尼和米伦，但我脚下的木板在燃烧。

楼梯扶手烧着了。我前面的楼梯井坍塌了，喷着火花。

我向后踉跄了一下。

我没法上去。

我没法救他们。

现在没有地方可去，

没有地方，

没有地方，

只能下去。

82

我坐在温德米尔的台阶上，仍然盯着盖特在夜色中消失的方向，忆起这些，就像重新经历了一遍。对我做过什么的认识像一场雾进入我的胸腔，冰冷、黑暗蔓延开来。我皱起眉头，俯下身。冰冷的雾从我的胸腔穿过背部，上达我的脖颈。它充斥我的大脑，下达我的脊柱。

寒冷、寒冷、悔恨。

我不应该先把厨房浇上汽油。我不应该在书房点火。

把那些书彻底打湿是多么愚蠢。任何人都会预计得到它们会如何燃烧。任何人。

我们应该确定一个时间点火。

我应该坚持我们待在一起。

我不应该去查看船库。

我不应该跑去卡德唐。

要是我能快一点跑回克莱尔蒙特，也许我能把约翰尼弄出来。或者在地下室着火之前警告盖特。也许我能找到灭火器，阻止火焰。

也许，也许。

要是，要是。

我如此渴望我们拥有：没有约束和偏见的人生。自由去爱和被爱的人生。

可是，我杀死了他们。

我的说谎者们，我亲爱的人们。

杀死了他们。我的米伦，我的约翰尼，我的盖特。

这一认知从我的脊柱传到我的肩头，穿透我的指尖，让它们变为冰。它们破损碎裂，细小的碎片散落在温德米尔的台阶上。裂缝裂开我的胳膊，穿过我的肩头和颈部前端。在一个女巫悲伤的咆哮中，我的脸冻僵破裂。我的喉头发紧，发不出声音来。

我本应被烧死，却冻僵在这里。

我本不应该说什么把事情掌握在自己手中。我本可以保持沉默，妥协。电话交流就很好。很快我们就会有驾照。很快我们就会上大学，辛克莱家的美丽房子会变得遥远而无关紧要。

我们本应该耐心些。

我本可以理智些。

也许那样，我们喝掉姨妈们的酒后，就会忘掉自己的愿望。酒会让我们瞌睡。我们会在电视机前打盹儿，冒干火，也许，不会点燃任何东西。

一切没法撤回。

我爬进门，用满是碎冰的双手爬到我的卧室，身后拖着冻僵的身体碎片。我的脚后跟，我的膝盖骨。我在毯子下面痉挛性地发抖，一片片的我脱落到枕头上。手指。牙齿。颌骨。锁骨。

最后，最后，颤抖停止了。我开始暖和，软化。

我为我的姨妈们哭泣，她们失去了自己的第一个孩子。

为威尔，他失去了自己的兄长。

为利伯蒂、邦妮和塔夫脱，他们失去了自己的姐姐。

为外公，他不仅看到自己的住宅烧为平地，还看到自己的外孙丧生。

为那些狗，那些可怜淘气的狗。

我为整个夏天我那些无谓的、轻率的抱怨哭泣。为我可耻的自怜。为我对于未来的计划。

我为所有赠送出的东西哭泣。我想念我的枕头，我的书，我的照片。我颤抖，为自己慈善的妄想，为我伪装成美德的羞耻，为我对自己说的谎话，加之于自己的惩罚，加之于我母亲的惩罚。

我哆嗦着哭道，这个家全被我谋杀了，我就是如许悲痛的罪魁祸首。

终究，我们没有保住那份愉快恬静。如果说它曾经存在过，已经永远消失了。我们失去了那份天真，在我们知道姨妈们的愤怒程度之前，在外婆去世外公体力衰退之前。

在我们成为罪犯之前。在我们成为鬼魂之前。

姨妈们和妈妈彼此拥抱，不是因为她们摆脱了克莱尔蒙特和它所代表的一切重压，而是出于不幸和同情。不是因为我们解放了她们，而是因为我们毁掉了她们。她们在恐怖面前彼此依靠。

约翰尼。约翰尼想跑马拉松。他想一英里一英里地跑，证明他的肺不会衰竭。证明他就是外公想要他成为的那种人，证明他的力量，虽然他很小。

他的肺里充满烟尘。他现在没有什么可证明。没有什么可为之奔跑。

他想拥有一辆车,吃在面包店橱窗看到的花式蛋糕。他想要大笑，拥有艺术品，穿制作精美的衣服。毛衣、围巾、带条纹的羊毛制品。他想用乐高做一条金枪鱼，像动物标本那样挂起来。他拒绝严肃，他让人窝火的不严肃，但他与别人一样，致力于他在意的事情。跑步。威尔和卡丽。说谎者们。他的正义感。他毫不犹豫就放弃他的大学基金，来维护自己的原则。

我想起约翰尼强壮的手臂，鼻子上防晒霜的白色条纹。那回，我们由于毒葛都不舒服，一同躺在吊床上搔痒。那回，他用薄纸板和在海滩找到的石头给我和米伦建了一间玩具小屋。

约翰尼·辛克莱·丹尼斯，你本可以成为一束光，照亮黑暗中的许多人。

你一直是。一直。

我以最糟糕的方式让你受挫。

我为米伦哭泣，她想去刚果看看。她不知道她想如何生存，她相信什么。她一直在寻找，明白她被吸引到那个地方。如今这件事情永远不会实现，只有一些供人们取乐的照片、电影和出版的故事。

米伦谈了很多关于性交的事情，可从来没有经历过。我们小些的时候，她和我一起躺在温德米尔门廊的睡袋里，笑着吃软糖，很晚才睡。我们为芭比娃娃争吵，给对方化妆，梦想爱情。米伦永远不会有满是黄玫瑰的婚礼，也不会有爱她到戴傻气黄色宽腰带的新郎。

她急躁、爱指挥人。但总是很可笑。惹她生气很容易，她几乎总是对贝丝发脾气，和双胞胎怄气——但接着她就会后悔不迭，痛苦地埋怨自己说话刻薄。她爱她的家，爱他们所有人，会读书给他们听，帮他们做冰激凌，给他们她找到的漂亮贝壳。

她再也不能做出补偿。

她不想成为她母亲那样的人。不做公主，不。探险者，女商人，乐善好施的人，做冰激凌的人——了不起的人。

她永远没法成为了不起的人，因为我。

米伦，我甚至没法说抱歉。没有一个词可以形容我感觉多么糟糕。

还有盖特，我的盖特。

他将永远不能上大学。他有渴求的大脑，总是仔细考虑事情，不是寻找答案，而是寻求理解。他将永远不能满足自己的好奇心，永远不能读完世上最好的一百本小说，永远不能成为他或许能成为的伟人。

他想要终结罪恶。他想要表达自己的愤怒。他过得豪气，我勇敢的盖特。人们要他闭嘴时，他没有，他让人们倾听——作为回报，他倾听别人。他拒绝轻率地看待问题，尽管他总是面带笑容。

哦，他让我笑起来，让我思考，即使我不想思考的时候，即使我懒得用心的时候。

盖特一再让我把血流在他身上。他从不介意。他想知道我为什么流血。他琢磨着能做什么来治愈伤口。

他再也没法吃巧克力。

我爱过他。我爱他。尽我所能。但他是对的。我不够了解他。我永远看不到他的公寓，吃他母亲做的菜，见他学校的朋友。我永远看不到他床上的床罩，墙上的海报。我永远不会知道他早上吃鸡蛋三明治的小餐馆，或是他双重锁上自行车的角落。

我甚至不知道他是否买鸡蛋三明治或挂海报。我不知道他是否有辆自行车，或床罩。我只是在想象角落的自行车停车架和双重锁，因为我从没跟他回过家，从没亲历过他的生活，从不知道不在比奇伍德岛上的盖特是什么样子。

他的房间现在肯定空荡荡的。他死了两年。

我们本来可以。

我们本来可以。

我失去了你，盖特，因为我痴狂地陷入爱中。

我想象我的说谎者们燃烧起来，在他们的最后几分钟，吸着浓烟，他们的皮肤点燃，那肯定非常痛苦。

米伦的头发在火焰中。约翰尼的身体在地板上。盖特的手，他的指尖烧焦，他的胳膊被烧得干枯。

他的手背上有字，左边：盖特。右边：卡登丝。

我的笔迹。

我哭泣，因为我是我们中唯一活着的人。因为我必须在没有说谎者的情况下度过余生。因为他们将必须去经历等待他们的事情，没有我。

我、盖特、约翰尼和米伦。

米伦、盖特、约翰尼和我。

这个夏天，我们在这里。

我们不在这里。

是，也不是。

这是我的过错，我的过错，我的过错——但他们仍然爱我。尽管那些可怜的狗死了，尽管我愚蠢夸大，尽管我们犯了罪。尽管我自私，尽管我哼哼唧唧，尽管我走了狗屎运成为唯一存活的，却不知感激，而他们——他们一无所有。一无所有，只有在一起的最后一个夏天。

他们说他们爱我。

我在盖特的亲吻中感受到了。

在约翰尼的笑中。

甚至米伦冲着大海的吼声中。

我猜这就是他们在这儿的理由。

我需要他们。

83

妈妈敲我的门，叫我的名字。

我没有回应。

一小时后，她又敲了起来。

“让我进来，好吗？”

“走开。”

“偏头痛又犯了吗？告诉我。”

“不是偏头痛，”我说，“别的事情。”

“我爱你，卡迪。”她说。

自从我生病后，她一直这么说，但直到现在我才明白妈妈的意思：

我爱你，尽管我很悲痛。尽管你很疯狂。

我爱你，尽管我怀疑你做了些事情。

“你知道我们都爱你，是吧？”她在门外喊道，“贝丝姨妈、卡丽姨妈、外公和所有人？贝丝在做你喜欢的蓝莓派。半小时后就会做好。你早餐可以吃。我问过她了。”

我站起来，走向门，打开一条缝。“告诉贝丝我谢谢她，”我说，“我现在没法马上去。”

“你在哭。”妈妈说。

“一点儿。”

“我看到了。”

“抱歉。我知道你想让我去吃早餐。”

“你不必说对不起，”妈妈告诉我，“真的，你不必说，卡迪。”

84

一如往常，我的脚步在台阶上发出声响时，卡德唐才现出人影。约翰尼出现在门口，小心翼翼地跨过粉碎的玻璃。看见我的脸时，他停了下来。

“你记起来了。”他说。

我点头。

“你记起了一切？”

“我不知道你们是否还会在这里。”我说。

他握住我的手。他摸上去温暖真实，虽然他看上去苍白，有眼袋。并且年轻。

他只有十五岁。

“我们不能久留，”约翰尼说，“变得越来越难了。”

我点头。

“米伦情况最糟，但盖特和我也感觉到了。”

“你们会去哪里？”

“我们离开的时候？”

“嗯哼。”

“你不在这里时的老地方，我们一直在的老地方。就像——”约翰尼顿了下，挠了下自己的头，“就像一种休息。就像没有什么，从某种意义上来说。说实在的，卡迪，我爱你，但我他妈太累了。我就想躺下来，一切搞定。所有的事情都发生在很久之前，对于我来说。”

我看着他。“非常对不起，我亲爱的老约翰尼。”我说，感觉泪水就在我的眼眶内打转。

“不是你的错，”约翰尼说，“我是说，我们都参与了这件事，我们都疯了，我们必须负起责任。你不应该承受重担，”他说，“可以悲伤、抱歉——但不要承担它。”

我们走进屋里，米伦从她的卧室出来。我意识到她很可能在我走进门之前才在那里。她拥抱了我。她蜜色的头发没有光泽，嘴唇干枯破裂。“抱歉，我没把这一切做得更好，卡迪，”她说，“我得到一次机会来到这里，我不知道，我拖长它，说了这么多谎。”

“没有关系。”

“我想成为一个为人接受的人，但我满是剩余的愤怒。我以为我会变得谦卑明智，可我反而变得嫉妒你，对其他的家人生气。一切糟透了，现在事已如此。”她说着，把脸埋在我的肩头。

我抱住她。“你是你自己，米伦，”我说，“我什么也不想要。”

“我现在得走了。”她说，“我不能再待在这里了。我要去海边。”

不。拜托。

别走。别离开我，米伦，米伦。

我需要你。

这就是我想说的，想喊出来的。但我没有。

内心里我想把血流在大房间地板上，或者融进悲伤的池子。

但我也不想那么做。我没有抱怨，没有祈求怜悯。

我哭了。我哭着紧紧抱住米伦，吻她温暖的面颊，努力记住她的脸。

我们三人牵着手，走到小海滩。

盖特就在那里等待我们。天空映衬出他的轮廓。我会一直看到这幅景象。他转过身冲我笑。跑过来，抱起我四处转，似乎有什么要庆祝。似乎我们是开心的一对，在海滩热恋。

我没有再哭，但泪水不间断地从我眼中淌下。约翰尼取下他的领圈，递给我。“擦一下你满是眼泪鼻涕的脸。”他友善地说。

米伦脱掉她的太阳裙，穿着件泳衣站在那里。“真不敢相信你为这个穿上比基尼。”盖特说，他仍然搂着我。

“疯了。”约翰尼补充道。

“我爱这件比基尼，”米伦说，“第十五个夏天我在埃德加敦搞到的。你记得吗，卡迪？”

我记得。

那时我们无聊透顶。小家伙们租了自行车去橡树崖观光，我们不知道他们什么时候回来。我们不得不等他们，好把他们带回船上。因此，反正我们买了软糖，看了风向袋，最后我们去了家旅游商店，试穿了我们能够找到的最古怪的泳装。

“人们说马撒葡萄园适合情侣。”我告诉约翰尼。

米伦转过身，确实如此。“荣耀的光辉，诸如此类。”她说，不无怨恨。

她走过来，吻了我的脸，说：“多一点仁慈，卡迪，一切都会好的。”

“绝不要吃比你的屁股更大的东西！”约翰尼喊道。他迅速地抱了我一下，踢掉自己的鞋。他们两人蹚进海里。

我转向盖特。“你也要走？”

他点头。

“非常对不起，盖特，”我说，“非常对不起，我永远没办法弥补你。”

他吻了我，我能感觉到他在颤抖，我用胳膊裹住他，仿佛这样可以阻止他消失，仿佛这样我能让这一刻持续下去，但他的皮肤因为泪水又冷又湿，我知道他要离开了。

被爱很好，即使这份爱不能持续。

知道从前有盖特和我，很好。

接着他离开了，我没法忍受与他分开，我认为这不会是结束。我们再不能在一起，这不是真的。我们的爱如此真实。这个故事理应有一个美满的结局。

然而不是的。

他在远离我。

他已经死了，当然。

这个故事很久前就结束了。

盖特头也不回地跑进海里，纵身跳了进去，穿着所有的衣服，潜入细浪下面。

说谎者们游远了，经过海湾边，进入广阔的海洋。太阳高高地挂在天空，水面上闪闪发光，如此明亮，如此明亮。这时他们下潜——

类似的什么——

类似的什么——

他们不见了。

我被留在比奇伍德岛的南端。一个人在小海滩。

85

我沉睡了也许有好几天。我起不来。

我睁开眼，灯熄了。

我睁开眼，天黑了。

最后我站起来。浴室镜子里，我的头发不再是黑的，它褪成了红褐色、根部是金色的。我的皮肤长有雀斑，我的嘴唇有晒斑。

我拿不准镜子里的女孩是谁。

波什、格伦德尔和波皮跟着我走出屋子，气喘吁吁，摇着它们的尾巴。在新克莱尔蒙特的厨房，姨妈们正为野餐做着三明治。金妮在清洗冰箱。埃德在把瓶装柠檬汁和姜汁汽水放进冷藏柜。

埃德。

你好，埃德。

他向我挥手。开了瓶姜汁汽水，递给卡丽。在冷藏柜里翻找另一袋冰。

邦妮在读书，利伯蒂在切西红柿。两个蛋糕，一个标着巧克力，一个标着香草，放在厨房台面上的面包盒里。我对双胞胎说生日快乐。

邦妮从《集体幽灵》这本书中抬起头来。“你感觉好些了吗？”她问我。

“嗯。”

“你看上去没好多少。”

“闭嘴。”

“邦妮是个姑娘，这是没办法的事，”利伯蒂说，“不过明天早上我们去漂流，如果你想来的话。”

“好的。”我说。

“你不能驾船。我们开。”

“行。”

妈妈拥抱了我，一个担忧的长长拥抱，可我什么也没跟她说。

不是现在。不是一会儿之后，也许。

无论如何，她知道我记起来了。

她来到我门前时就知道了，我看得出来。

我接过她留给我的一个烤饼，从冰箱里拿了些橙汁。

我找到一支记号笔，在我的手上写字。

左边：多一点。右边：仁慈。

外面，塔夫脱和威尔在日式花园玩耍。他们在寻找不寻常的石头。我和他们一起找。他们告诉我寻找闪闪发光的石头，以及箭头形的。

塔夫脱把他找到的一颗紫色石头给我，因为他记得我爱紫色的石头，我把它放进我的口袋。

86

那天下午外公和我去埃德加敦。贝丝坚持开车送我们，不过我们买东西时，她自己离开了。我找到了给双胞胎的漂亮布肩包，外公坚持要在埃德加敦书店给我买本童话书。

“我看见埃德回来了。”我们在柜台等待时，我说。

“是的。”

“你不喜欢他。”

“没那么喜欢。”

“可他在这里。”

“是啊。”

“和卡丽在一起。”

“是的，没错。”外公皱起眉头。“别烦我了。我们去软糖店吧。”他说。我们去了。

很不错的一次外出。他只有一次叫我米伦。

晚饭时间，我们用蛋糕和礼物庆祝了生日。塔夫脱在糖料作物上跳，从花园的一块大石头上跌落下来擦伤了膝盖。我带他去浴室找了块创口贴。“米伦过去老是帮我贴创口贴，”他告诉我，“我是说，我小的时候。”

我拥抱了他一下。“你现在想要我帮你贴创口贴吗？”

“才不，”他说，“我已经十岁了。”

第二天我去卡德唐，看了看厨房水槽下面。

那里有海绵、闻起来像柠檬的喷雾清洁剂。纸卷。一壶漂白剂。

我扫掉破碎的玻璃和缠结的丝带。我把空瓶子装进袋子里。我用吸尘器清扫压碎的薯片。我擦洗厨房黏稠的地板。洗了被子。

我把窗户上的污垢擦掉,把棋盘游戏放进壁橱,清理掉卧室的垃圾。

家具还是按米伦喜欢的样子未动。

一时冲动之下，我从塔夫脱的房间拿出一本书写簿和一支圆珠笔，画了起来。他们不过是些线条人物，但你们可以分辨出他们是我的说谎者们。

盖特，长着一只夸张的鼻子，交叉腿坐着，在读一本书。

米伦穿着比基尼跳舞。

约翰尼戴着潜水面具，一只手上拿着只螃蟹。

画完后，我把画贴在冰箱上，旁边是我有关爸爸、外婆和金毛猎犬的蜡笔旧画。

87

从前，有一位国王，他有三个漂亮的女儿。她们长大成人，有了自己的孩子，漂亮的孩子，很多很多孩子，只是出了点不好的事。

愚蠢，

犯法的，

可怕的事，

可以避免，

本不该发生的事，

最终被宽恕的事。

孩子们在一场火中丧生——除了一个。

只有一个被留了下来，而她——

不，不对。

孩子们在一场火中丧生，除了三个女孩和两个男孩。

留下了三个女孩和两个男孩。

卡登丝、利伯蒂、邦妮、塔夫脱和威尔。

三位公主，母亲们，她们在愤怒和绝望中崩溃。她们喝酒、购物、挨饿、擦洗、心神不宁。她们在悲伤中互相依靠，原谅彼此，哭泣。父亲们也大发其火，虽然他们离得很远。国王——他衰退到一种虚弱的疯狂状态，原来的那个他只是偶尔显现。

孩子们疯狂而难过。他们饱受还活着的愧疚的折磨，饱受头痛和对鬼魂的恐惧的折磨，饱受噩梦和奇怪的强迫冲动的折磨，饱受其他人死了自己还活着的惩罚的折磨。

公主们，父亲们，国王，孩子们，他们像蛋壳一样破碎，粉末状，美丽——因为他们一贯是美的。

似乎。

似乎。

这个悲剧标志着这个家庭的终结。

也许是的。

也许不是的。

他们仍然组建了一个美好的家庭。

他们知道。事实上，悲剧的标志，随着时间的推移，成为魅力的标志，神秘的标志，对那些远观这个家庭的人来说，是吸引力的源泉。

“大些的孩子们在火中丧生，”他们说，伯灵顿的村民，坎布里奇的邻居，曼哈顿下城区私立学校的家长，波士顿的老年人。“小岛着火了，”他们说，“记得几年前吗？”

三个漂亮的女儿在旁观者看来，变得更加漂亮。

这个事实对她们并非没有影响，对她们的父亲并非没有影响，即使他的身体在衰退。

但剩下来的孩子们，

卡登丝、利伯蒂、邦妮、塔夫脱和威尔。

他们知道悲剧并不刺激。

他们知道悲剧并不像它在舞台上或书页间那般进行，它不是一种给予的惩罚，也不是带来的教训。它的恐惧并不归因于一个人。

悲剧是可怕的、混乱的、愚蠢的、费解的。

这是孩子们知道的。

他们知道有关他们家族的故事。

既是真实的又不是真实的。

有无穷无尽的变本。

人们将继续讲述这些故事。

我的全名是卡登丝·辛克莱·伊斯门。

我住在弗蒙特州伯灵顿市，和妈妈及三条狗生活在一起。

我快十八岁了。

我拥有一张使用频繁的借阅卡，一个装满干玫瑰的信封，一本童话书，一把可爱的紫色石头。没别的了。

我是一次后来演变为一场悲剧的愚蠢被隐瞒罪行的罪魁祸首。

没错，我爱上了一个人，他死了，和另外两个我在这世上最爱的人一起。这是有关我的主要事情，很长一段时间里有关我的唯一一件事情。

虽然之前我自己不知道。

但肯定还有更多事情要了解。

会有更多。

我的全名是卡登丝·辛克莱·伊斯门。

我受偏头痛的困扰，我很少受到愚弄。

我喜欢意义出现转折。

我忍受。

说谎的人

FONGHONG
凤凰联动出品